二十五史藝文經籍志考補萃編

考補萃編

第十七卷

新唐書藝文志　舊唐書經籍志

〔後晉〕劉　昫　等撰
魏奕元　整理

〔宋〕歐陽修　等撰
朱莉莉　整理

王承略　劉心明　主編

清華大學出版社　北京

圖書在版編目（CIP）數據

二十五史藝文經籍志考補萃編. 第 17 卷/王承略，劉心明主編. --北京：清華大學出版社，2013.1

ISBN 978-7-302-29860-1

Ⅰ. ①二…　Ⅱ. ①王…　②劉…　Ⅲ. ①中國歷史－古代史－紀傳體②《二十五史》－研究　Ⅳ. ①K204.1

中國版本圖書館 CIP 數據核字（2012）第 197302 號

責任編輯：馬慶洲
封面設計：曲小華
責任校對：宋玉蓮
責任印製：楊　艷

出版發行：清華大學出版社
　　　　網　　址：http://www.tup.com.cn, http://www.wqbook.com
　　　　地　　址：北京清華大學學研大廈 A 座　郵　編：100084
　　　　社總機：010-62770175　　　　郵　購：010-62786544
　　　　投稿與讀者服務：010-62776969, c-service@tup.tsinghua.edu.cn
　　　　質　量　反　饋：010-62772015, zhiliang@tup.tsinghua.edu.cn
印　刷　者：清華大學印刷廠
裝　訂　者：三河市金元印裝有限公司
經　　銷：全國新華書店
開　　本：148mm×210mm　　印　張：10.75　　字　數：266 千字
版　　次：2013 年 1 月第 1 版　　　　印　次：2013 年 1 月第 1 次印刷
印　　數：1～2500
定　　價：40.00 元

產品編號：043542-01

《二十五史藝文經籍志考補萃編》編纂委員會

目　録

舊唐書經籍志

[後晉]

劉昫　等撰

魏奕元　整理

底本：《百衲本二十四史》影印宋紹興刻本（缺卷
　　　據明聞人詮翻宋本配補）《舊唐書》志卷第
　　　二十六至第二十七
校本：1975 年中華書局排印《舊唐書》本
　　　清乾隆四年(1739)武英殿刻《舊唐書》本

經　籍　上

　　夫龜文成象，肇八卦於庖犧；鳥跡分形，創六書於蒼頡。聖作明述，同源異流。《墳》、《典》起之於前，《詩》《書》繼之於後。先王陳迹，後王準繩。《易》曰：“人文以化成天下。”《禮》曰：君“子如欲化民成俗，其必由學乎！”學者非他，方策之謂也。琢玉成器，觀古知今，歷代哲王，莫不崇尚。自仲尼没而微言絕，七十子喪而大義乖。嬴氏坑焚，以愚黔首。漢興學校，復創石渠。雄、向校讎於前，馬、鄭討論於後。兩京載籍，鯢是粲然。及漢末還都，焚溺過半。爰自魏、晋，迄于周、隋，而好事之君，慕古之士，亦未嘗不以圖籍爲意也。然河北江南，未能混一，偏方購輯，卷帙未弘。而荀勗、李充、王儉、任昉、祖暅，皆達學多聞，歷世整比，群分類聚，遞相祖述。或爲《七録》，或爲《四部》，言其部類，多有所遺。及隋氏建邦，寰區一統，煬皇好學，喜聚逸書，而隋世簡編，最爲博洽。及大業之季，喪失者多。貞觀中，令狐德棻、魏徵相次爲秘書監，上言經籍亡逸，請行購募，并奏引學士校定，群書大備。開元三年，左散騎常侍褚無量、馬懷素侍宴，言及經籍。玄宗曰：“內庫皆是太宗、高宗先代舊書，常令宮人主掌，所有殘缺，未遑補緝，篇卷錯亂，難於檢閱。卿試爲朕整比之。”至七年，詔公卿士庶之家所有異書，官借繕寫。及四部書成，上令百官入乾元殿東廊觀之，無不駭其廣。九年十一月，殷踐猷、王愜、韋述、余欽、毋煚、劉彥真、王灣、劉仲等重修成《群書四部録》二百卷，右散騎常侍元行冲奏上之。自後毋煚又略爲四十卷，名爲《古今書録》，大凡伍萬一千八百五十二

卷。禄山之亂，兩都覆没，乾元舊籍，亡散殆盡。肅宗、代宗崇
重儒術，屢詔購募。文宗時，鄭覃侍講禁中，以經籍道喪，屢以
爲言。詔令秘閣搜訪遺文，日令添寫。開成初，四部書至五萬
六千四百七十六卷。及廣明初，黄巢干紀，再陷兩京，宫廟寺
署，焚蕩殆盡。曩時遺籍，尺簡無存。及行在朝諸儒購輯，所傳
無幾。昭宗即位，志弘文雅。秘書省奏曰：“當省元掌四部御
書十二庫，①共七萬餘卷。廣明之亂，一時散失。後來省司購
募，尚及二萬餘卷。及先朝再幸山南，尚存一萬八千卷。竊知
京城制置使孫惟晟收在本軍，其御書秘閣見充教坊及諸軍人占
住。伏以典籍，國之大經，秘府，校讎之地。其書籍並望付當省
校其殘缺，漸令補輯。樂人乞移他所。”並從之。及遷都洛陽，
又喪其半。平時載籍，世莫得聞。今録開元盛時四部諸書，以
表藝文之盛。四部者，甲、乙、丙、丁之次也。甲部爲經，其類十
二：一曰易，以紀陰陽變化。二曰書，以紀帝王遺範。三曰詩，
以紀興衰誦嘆。四曰禮，以紀文物體制。五曰樂，以紀聲容律
度。六曰春秋，以紀行事褒貶。七曰孝經，以紀天經地義。八
曰論語，以紀先聖微言。九曰圖緯，以紀六經讖候。十曰經解，
以紀六經讖候。②十一曰詁訓，以紀六經讖候。十二曰小學，以
紀字體聲韻。乙部爲史，其類十有一三：曰正史，③以紀紀傳表

---

①　“當”，原作“常”。據清乾隆四年武英殿刻《舊唐書》本（以下簡稱武英殿本），一
九七五年中華書局排印《舊唐書》本（以下簡稱中華本）改。

②　“六經讖候”，應譌，江蘇古籍出版社一九九七年排印《嘉定錢大昕全集·廿二
史考異》本（以下簡稱《廿二史考異》）云：“經解、詁訓與圖緯各自爲類，何得蒙上六經讖
候之文？考《唐六典》，秘書郎掌四部之圖籍，甲部其類有十，乙部其類十三，景部其類十
四，丁部其類三，此志全采其文。惟《六典》甲部只有易、書、詩、禮、樂、春秋、孝經、論語、
圖緯、小學十門，其五經異義等部，并入論語類，此志增入經解、詁訓二門，當闕其文而校
書者妄益之耳。”

③　“一”，原無，據武英殿本、中華本補。

志。① 二曰古史，以紀編年繫事。三曰雜史，以紀異體雜紀。四曰霸史，以紀僞朝國史。五曰起居注，以紀人君言動。六曰舊事，以紀朝廷政令。七曰職官，以紀班序品秩。八曰儀注，以紀吉凶行事。九曰刑法，以紀律令格式。十曰雜傳，以紀先聖人物。十一曰地理，以紀山川郡國。十二曰譜系，以紀世族繼序。十三曰略録，以紀史策條目。丙部爲子，其類一十有四：一曰儒家，以紀仁義教化。二曰道家，以紀清淨無爲。三曰法家，以紀刑法典制。四曰名家，以紀循名責實。五曰墨家，以紀强本節用。六曰縱横家，以紀辯説詭詐。七曰雜家，以紀兼叙衆説。八曰農家，以紀播植種藝。九曰小説家，以紀芻辭輿誦。十曰兵法，以紀權謀制度。十一曰天文，以紀星辰象緯。十二曰曆數，以紀推步氣朔。十三曰五行，以紀卜筮占候。十四曰醫方，以紀藥餌針灸。丁部爲集，其類有三：一曰楚詞，以紀騷人怨刺。二曰别集，以紀詞賦雜論。三曰總集，以紀文章事類。昺等撰集，依班固《藝文志》體例，諸書隨部皆有小序，發明其指。近史官撰《隋書·經籍志》，其例亦然。竊以紀録簡編異題，卷部相沿，序述無出前修。今之殺青，亦所不取，但紀部帙而已。而昺等所序四部都録以明新修之旨。今略載之：竊以經墳浩廣，史圖紛博，尋覽者莫之能徧。司總者常苦其多，何暇重屋複牀，更繁其説？若先王有闕典，上聖有遺事，邦政所急，儒訓是先，宜垂教以作程，當闡規而開典，則不遑啓處，何獲宴寧。曩之所修，誠惟此義。然禮有未愜，追怨良深。于時祕書省經書，實多亡闕，諸司墳籍，不暇討論。此則事有未周，一也。其後周

---

① 原作“以紀傳表志”，據武英殿本、中華本補一“紀”字。

覽人間，頗覿□文，①新集記貞觀之前，永徽已來不取；近書採長安之上，神龍已來未録。此則理有未弘，二也。書閱不徧，事復未周，或不詳名氏，或未知部伍。此則體有未通，三也。書多闕目，空張第數，既無篇題，實乖標牓。此則例有所虧，四也。所用書序，咸取魏文貞；所分書類，皆據《隋・經籍志》。理有未允，體有不通。此則事實未安，五也。昔馬談作《史記》，班彪作《漢書》，皆兩葉而僅成；劉歆作《七略》，王儉作《七志》，踰二紀而方就。孰有四萬卷目，二千部書，名目首尾，三年便令終竟，欲求精悉，不其難乎。所以常有遺恨，竊思追雪。乃與類同契，積思潛心，審正舊疑，詳開新制。永徽新集，神龍近書，則釋而附也，未詳名氏，不知部伍，則論而補也。空張之目，則檢獲便增，未允之序，則詳宜別作。紕繆咸正，混雜必刊。改舊傳之失者，三百餘條，加新書之目者，六千餘卷。凡經録十二家，五百七十五部，六千二百四十一卷。史録十三家，八百四十部，一萬七千九百四十六卷。子録十七家，七百五十三部，一萬五千六百三十七卷。集録三家，八百九十二部，一萬二千二十八卷。凡四部之録四十五家，都管三千六十部，五萬一千八百五十二卷，成《書録》四十卷。其外有釋氏經律論疏，道家經戒符籙，凡二千五百餘部。九千五百餘卷。亦具翻釋名氏，②序述指歸，又勒成目録十卷，名曰《開元内外經録》。若夫先王祕傳，列代奥文，自古之粹籍靈符，絕域之神經怪牒，盡載於此二書矣。夫經籍者，開物成務，垂教作程，聖哲之能事，帝王之達典。而去聖已久，開鑿遂多，苟不剖判條源，甄明科部，則先賢遺事，有卒代

---

①　“□”，原無，武英殿本此處注一“闕”字，可從。“文”，原誤作“又”，據武英殿本改。

②　“釋”，中華書局一九八三年影印《全唐文》（以下簡稱《全唐文》）作“譯”。

而不聞，大國經書，遂終年而空泯。使學者孤舟泳海，弱羽憑天，銜石填溟，倚杖追日，莫聞名目，豈詳家代。不亦勞乎！不亦弊乎！將使書千帙於掌眸，披萬函於年祀，覽錄而知旨，觀目而悉詞，經墳之精術盡探，賢哲之睿思咸識，不見古人之面，而見古人之心，以傳後來，不愈其已。① 其序如此。臮等《四部目》及《釋道目》，並有小序及注撰人姓氏，卷軸繁多，今並略之，但紀篇部，以表我朝文物之大。其《釋道錄目》附本書，今亦不取，據開元經篇爲之志。② 天寶已後，名公各著文章，儒者多有撰述，或記禮法之沿革，或裁國史之繁略，皆張部類，其徒實繁。臣以後出之書，在開元四部之外，不欲雜其本部，今據所聞，附撰人等傳。其諸公文集，亦見本傳，此並不錄。四部區分，詳之于下。

　　甲部經錄，十二家，五百七十五部，六千二百四十一卷。

　　易類一　書類二　詩類三　禮類四　樂類五　春秋類六孝經類七　論語類八　讖緯類九　經解類十　詁訓類十一小學類十二

<h2 style="text-align:center">易類一③</h2>

歸藏十三卷　殷易。司馬膺注。④

周易二卷　卜商傳。

---

　　① “不愈其已”，《全唐文》同，武英殿本、中華本均作“不其愈已”。

　　② “篇”，中華本作“籍”。

　　③ “易類一”，武英殿本、中華本均無。書目出版社一九九六年影印《二十四史訂補·舊唐書校勘記》（以下簡稱《校勘記》）云依甲部其他類及乙部、丙部、丁部之例，此三字當爲衍文。

　　④ “注”，原作“撰”，誤，據武英殿本、中華本改。依《校勘記》，此條前當有“連山十卷”，係“夏易”，司馬膺注；“殷易”下當爲“晉太尉參軍薛貞注”，傳寫者脫佚舛錯，遂致不可通。

周易十卷　孟喜章句。

又十卷　京房章句。

又四卷　費直章句。

又十卷　馬融章句。

又九卷　鄭玄注。

又十卷　荀爽章句。

又五卷　劉表注。

又十卷　王肅注。

又十卷　董遇注。

又十卷　宋衷注。

又七卷　王弼注。

又九卷　虞翻注。

又十三卷　陸績注。

又十卷　荀氏九家集解。[①]

又十卷　馬、鄭、二王集解。

又十卷　姚信注。

又十卷　王弼、韓康伯注。

又十卷　二王集注。

又十卷　荀暉注。

又十卷　蜀才注。

又十卷　張璠集解。

又十卷　王廙注。

又十卷　干寶注。

---

　①　"荀"，原作"葛"，武英殿本、中華本及中華書局一九七五年排印本《新唐書·藝文志》（以下簡稱《新志》）均作"荀"，中華書局一九五五年排印《二十五史補編·漢藝文志考證》云"後漢荀爽集解"，據改。

又十卷　黃穎注。

又十卷　崔顗注。

又十三卷　崔覲注。

又十卷　何胤注。

又十卷　盧氏注。

又十四卷　傅氏注。

又十卷　王玄度注。

又十卷　王又玄注。

又十卷　王希古注。①

又十卷　王凱冲注。

周易發揮五卷　王勃撰。

周易繫辭二卷　謝萬注。

又二卷　桓玄注。

又二卷　荀諺注。

又二卷　宋褰注。

周易義疏二十卷　宋明帝注。

宋群臣講易疏二十卷　張該等注。

周易大義二十卷　梁武帝撰。

周易講疏三十五卷　梁武帝撰。

周易發題義一卷

周易幾義一卷　蕭偉撰。

周易大義疑問二十卷　梁武帝撰。

周易義疏十四卷　蕭子政撰。

周易講疏三十卷　張譏注。

---

① "王"，武英殿本、中華本、《新志》均作"任"。

又十三卷　何妥撰。①

又十六卷　褚仲都撰。

周易正義十四卷　孔穎達撰。

周易新論十卷　陰弘道撰。②

周易文句義疏二十四卷　陸德明撰。

周易文外大義二卷　陸德明撰。

周易新注本義十四卷　薛仁貴撰。

周易開題論序十卷③

周易文句義疏二十卷　已上並梁蕃撰。④

周易大衍論三卷　玄宗撰。

周易四卷⑤　鍾會撰。

周易大演論一卷⑥　王弼撰。

周易論一卷　應吉甫撰。

周易統略論三卷　鄒湛撰。

周易略論一卷　張璠撰。

周易論二卷　暨長成難，暨仲容答。

易論一卷　宋睿宗撰。⑦

---

　　①　"妥"，原作"安"，武英殿本、中華本、《隋志》、《新志》均作"妥"，中華書局一九七三年排印《隋書·儒林傳》（以下凡言及《隋書》者，皆爲此版本）云何妥撰《周易講疏》十三卷，據改。

　　②　"撰"，原無，據武英殿本、中華本補。

　　③　中華本、《新志》"序"下均有"疏"字。

　　④　"並"，原作"卷"，中華本、《新志》均作"並"；"蕃"，原作"武"，中華本、《新志》均作"蕃"。《校勘記》謂《隋志》有梁蕃撰《周易開題講疏》十卷，疑即上條《周易開題論序》十卷。此句中"卷"字疑是"並"字之誤。據改。

　　⑤　中華本、《新志》"易"下均有"論"字。

　　⑥　"演"，中華本、《新志》均作"衍"。

　　⑦　"睿"，中華本、《新志》均作"處"。

通易象論一卷　　宣馳撰。^①

又一卷　　欒永初撰。

周易繫辭義二卷^②　　劉向撰。^③

周易乾坤義疏一卷　　劉瓛撰。

周易略譜一卷　　沈能撰。^④

周易文義一卷　　干寶撰。

周易卦序論一卷　　楊乂撰。

周易譜一卷　　袁宏撰。

周易論四卷　　范氏撰。

周易雜音三卷

周易釋序義三卷　　梁藩撰。^⑤

　　右易七十八部凡六百七十三卷。

古文尚書十三卷　　孔安國傳。^⑥

又十卷　　孔安國傳，范寧注。

又十卷　　李顒集注。

又十卷　　姜道盛集注。

又十卷　　馬融注。

又九卷　　鄭玄注。

古文尚書十卷　　王肅注。

尚書十三卷^⑦　　謝沈注。

尚書暢訓三卷　　伏勝注。

---

① “馳”，中華本、《新志》均作“聘”。

② 武英殿本、中華本、《隋志》、《新志》“義”下均有“疏”字。

③ “向”，中華本、《隋志》、《新志》均作“瓛”。

④ “能”，武英殿本、中華本、《新志》均作“熊”。

⑤ “撰”前原有“注”字，據武英殿本、中華本、《新志》刪。

⑥ “傳”，原作“撰”，據中華本、《隋志》、《新志》改。

⑦ “尚書”，武英殿本、中華本、《新志》均作“又”。

尚書洪範五行傳十一卷　劉向撰。

尚書答問三卷　王肅問。①

尚書釋駮五卷　王肅撰。

尚書釋問四卷　鄭玄注。王粲問，田瓊、韓益正。②

尚書義注三卷　呂文優撰。

尚書釋義四卷　伊說僎。

尚書要略二卷③

尚書新釋二卷

尚書百問一卷　顧歡撰。

尚書義疏十卷　巢猗撰。

尚書百釋三卷　巢猗撰。

尚書義疏十卷　費甝撰。

古文尚書大義二十卷　任孝恭撰。

尚書義疏三十卷　蔡大宝撰。

尚書文外義三十卷　顧彪撰。

尚書義疏二十卷　劉焯撰。

尚書述義二十卷　劉炫撰。

尚書正義二十卷　孔穎達撰。

古文尚書音義五卷　顧彪撰。

尚書音義四卷　王儉撰。

　　右尚書二十九部凡二百七十二卷。

韓詩二十卷　卜商序，韓嬰撰。

---

　　① “問”，武英殿本、中華本均作“注”。

　　② 原無“韓益正”，中華本、《新志》均有此三字，武英殿本“鄭玄注”在“韓益正”之下。《校勘記》謂據《舊唐書·元行冲傳》，王粲曾疑鄭玄之《尚書注》，而作《尚書問》四卷。田瓊、韓益爲鄭學之人，復作《釋問》四卷，以正王粲之失。據補。

　　③ 武英殿本、中華本、《新志》此條均作“李顒撰”。下“尚書新釋二卷”條同。

韓詩外傳十卷　韓嬰撰。

毛詩十卷　毛萇撰。

毛詩詁訓二十卷　鄭玄箋。

毛詩二十卷　王肅注。

業詩二十卷①　葉遵注。

集註毛詩二十四卷　崔靈恩集注。

韓詩翼要十卷　卜商撰。②

毛詩譜二卷　鄭玄撰。

毛詩集序二卷　卜商撰。

毛詩義注五卷

毛詩雜義駮八卷　王肅撰。

毛詩問難二卷　王肅撰。

毛詩駮五卷　王伯興撰。③

毛詩義問十卷　劉楨撰。

毛詩雜答問五卷

毛詩雜義難十卷

毛詩異同評十卷　孫毓撰。

毛詩釋義十卷　謝沈撰。

毛詩辯三卷　楊乂撰。

毛詩序義一卷　劉氏志撰。④

毛詩表隱二卷

---

① "業"，殿本、中華本、《新志》均作"葉"。

② "卜商撰"，《隋志》作"漢侯苞傳"。

③ 興，原誤作"興"。"伯興"、《隋志》、《新志》均作"基"。《校勘記》云："今考《三國志·王基傳》，基字伯興，'興'與'興'字形相似而誤。唐人避玄宗之諱，故稱其字耳。"據改。

④ "志"，殿本、中華本、《新志》均無。

毛詩義疏五卷 張氏撰。

毛詩誼府三卷 元延明撰。

毛詩草木鳥獸魚蟲疏二卷 陸機撰。

毛詩述義三十卷 劉炫撰。

毛詩正義四十卷 孔穎達撰。

毛詩音義二卷 魯達撰。①

毛詩諸家音十五卷 鄭玄等注。

難孫氏詩評四卷 陳統撰。

　　　右詩三十部凡三百十三卷。

周官十二卷 馬融傳。②

周官禮十三卷 鄭玄注。

又十卷 伊說撰。

又十二卷 王肅注。

又十二卷 干寶注。

周官論評十二卷 陳邵駮,傅玄評。

周官寧朔新書八卷 司馬伷序,王懋約注。

周官駁難五卷 孫略問,干寶答。

周禮義疏四十卷 沈重撰。

周禮疏五十卷 賈公彥撰。

周禮義決三卷 王玄度撰。

周官音三卷 鄭玄撰。

儀禮十七卷 鄭玄注。

又十七卷 王肅注。

---

① 殿本、中華本、《新志》"魯"下均有"世"字。

② "傳",原誤作"撰",據殿本、中華本改。

儀禮音二卷

喪服紀一卷　馬融注。

又一卷　鄭玄注。

又一卷　袁準注。

又一卷

又一卷　陳銓注。

又二卷　蔡超宗注。

又二卷　田僧紹注。

喪服變除一卷　戴德撰。①

喪服要紀一卷　王肅注。

喪服要集議三卷　杜預撰。

喪服要紀五卷　賀循撰，謝微注。

儀禮疏五十卷　賈彥撰。②

喪服變除一卷　鄭玄撰。

喪服要紀十卷　賀循撰，庾蔚之注。

喪服古今集記三卷　王儉撰。

喪服五代行要記十卷　王逡之志。

喪服經傳義疏四卷　沈文阿撰。

喪服發題二卷　沈文阿撰。

喪服文句義十卷　皇侃撰。

喪服天子諸侯圖二卷　謝慈撰。

喪服圖一卷　崔遊撰。

喪服譜一卷　蔡謨撰。

---

① "戴"下原有"至"字，殿本、中華本、《新志》均無。《校勘記》云："戴德爲漢人，曾著此書；戴至德爲唐高宗時人，未聞著此書。"據刪。

② 中華本、《新志》"賈"下均有"公"字。

喪服譜一卷　　賀循撰。

喪服要難一卷　　趙成問，仇析答。

大戴禮記十三卷　　戴德撰。

小戴禮記二十卷　　戴聖撰，鄭玄注。①

禮記二十卷　　盧植注。②

又三十卷　　王肅注。

又三十卷　　孫炎注。

又十二卷　　葉遵注。

禮記寧朔新書二十卷　　司馬伷序，王懋約注。

次禮記二十卷　　魏徵撰。

月令章句十二卷　　戴顒撰。

禮記中庸傳二卷　　戴顒撰。

禮記義記四卷　　鄭小同撰。

禮記要鈔六卷　　緱氏撰。

禮記音二卷　　鄭玄注，曹耽解。③

又二卷　　謝慈撰。

又二卷　　李軌撰。

又二卷　　尹毅撰。

又三卷　　徐遜撰。

又二卷　　徐爰撰。

禮記隱二十六卷

禮記略解十卷　　庾蔚之撰。

禮記講疏一百卷　　皇侃撰。

---

① "聖"，原誤作"勝"，據中華本、《新志》改。

② "盧"，原作"虞"，據中華本、《新志》改。

③ "解"，原誤作"撰"，據殿本、中華本改。

禮記義疏五十卷　皇侃撰。

禮記義疏四十卷　沈重撰。

禮記義疏四十卷　熊安生撰。

禮記義證十卷　劉芳撰。①

禮記類聚十卷

禮記正義二十卷②　孔穎達撰。

禮記疏八十卷　賈公彥撰。

禮論三百七卷　何承天撰。

禮義二十卷　戴聖等撰。③

三禮目錄一卷　鄭玄注。④

問禮俗十卷　董勛撰。

禮記評十卷　劉儁撰。

禮儀問答十卷　王儉撰。

雜禮義十一卷　吳商等撰。

禮義雜記故事十一卷

禮問九卷　范寧撰。

禮論答問九卷　范寧撰。

禮論問答九卷　徐廣撰。

雜禮儀問答四卷　戚壽撰。

禮論降議三卷　顏延之撰。

禮論條牒十卷　任預撰。

禮論帖三卷　任預撰。

禮論抄六十六卷　任預撰。

---

① “芳”，原作“方”，中華書局一九七四年排印《魏書·劉芳傳》（以下凡言及《魏書》者，皆爲此版本）云：“芳撰《禮記義證》十卷。”據改。

② “二”，殿本、中華本、《新志》均作“七”。

③ “聖”，原作“勝”，中華本、《新志》均作“聖”，據改。

④ “錄”，原誤作“禮”，據殿本、中華本、《新志》改；“注”，《新志》作“撰”。

禮論抄二十卷　庾蔚之撰。

禮儀答問十卷　王儉撰。

禮雜抄略二卷　荀萬秋撰。

禮議一卷　傅伯祚撰。

禮統郊祀六卷

禮論要抄十三卷

禮記區分十卷

禮論抄略十三卷

禮大義十卷　梁武帝撰。

禮疑義五十卷　周捨撰。

禮記義十卷　何佟之撰。

禮答問十卷　何佟之撰。

三禮義宗三十卷　崔靈恩撰。

禮論要抄一百卷　賀瑒撰。

禮統十三卷　賀述撰。

三禮宗略二十卷　元延明撰。

三禮圖十二卷　夏侯伏朗撰。

江都集禮一百二十卷　潘徽等撰。

大唐新禮一百卷　房玄齡等撰。

紫宸禮要十卷　大聖天后撰。

　　右禮一百四部，周禮十三家，儀禮、喪服二十八家，禮論答問三十五家，凡一千九百四十五卷。

樂書九卷　信都方删注。^①

管絃記十二卷　留進録，凌秀注。

鍾磬志二卷　公孫崇撰。

---

① "删"，殿本、中華本均無。

樂社大義十卷　_{梁武帝撰。}

樂論三卷　_{梁武帝撰。}

鍾律五卷　_{沈重撰。}

古今樂籙十三卷　_{釋智匠撰。}①

樂府聲調六卷　_{鄭譯撰。}

樂譜集解二十卷　_{蕭吉撰。}

樂志十卷　_{蘇夔撰。}

樂經三十卷　_{季玄楚撰。}

樂書要錄十卷　_{大聖天后撰。}

樂略四卷②

聲律指歸一卷　_{元愻撰。}

樂元起二卷③

琴操二卷　_{桓譚撰。}

琴操三卷　_{孔衍撰。}

琴譜四卷　_{劉氏、周氏等撰。}

琴叙譜九卷　_{趙耶律撰。}

琴譜二十一卷　_{陳懷撰。}

琴集曆頭拍簿一卷

外國伎曲三卷

論樂事二卷

外國伎曲名一卷

歷代曲名一卷

─────────────

①　"匠"，原作"丘"，中華本、《隋志》、《新志》均作"匠"。現代出版社一九八七年影印《中國歷代書目叢刊·中興館閣書目輯考》云："陳光大二年僧智匠撰，起漢迄陳。"據改。

②　中華本、《新志》此條均作"元愻撰"。

③　中華本、《新志》此條均作"桓譚撰"。

推七音一卷

十二律譜義一卷

鼓吹樂章一卷

古今樂記八卷　　李守真撰。

　　右樂二十九部，凡一百九十五卷。

春秋三家經詁訓十二卷　　賈逵撰。

春秋經十一卷　　士燮撰。

春秋傳十卷　　王朗注。

春秋左氏長經章句三十卷　　賈逵撰。

春秋左氏傳解詁三十卷　　賈逵撰。

春秋左氏傳解誼三十卷　　服虔注。

春秋左氏經傳章句三十卷　　董遇注。

春秋左氏傳三十卷　　王肅注。

春秋左氏傳三十卷　　杜預注。

春秋左氏傳義注三十卷　　孫毓注。

春秋左氏傳音三卷　　高貴鄉公撰。

春秋左氏音四卷　　曹耽、荀訥撰。

春秋左氏音隱一卷　　服虔撰。

春秋左氏傳音三卷　　杜預注。

又三卷　　李洪範撰。①

又三卷　　孫邈撰。

又三卷　　王元規撰。

又十二卷

春秋左氏傳條例二十卷　　劉歆撰。

————————

　　① “洪”，中華本作“弘”。《隋志》、《新志》此條均作“李軌撰”。《校勘記》云：“據《釋文》及《隋志》，軌字弘範。此《志》‘弘’作‘洪’者，避孝敬皇帝諱耳。”

春秋左氏傳條例章句九卷　　鄭衆撰。①

春秋左氏傳例七卷

又十五卷　　杜預撰。

春秋左氏條例十卷　　劉寔撰。

春秋左氏經例十卷　　方範撰。

春秋左氏膏肓十卷　　何休撰，鄭玄箴。

春秋成長説七卷　　服虔撰。

春秋左氏膏肓釋痾五卷②

春秋達長義一卷　　王玢撰。

春秋左氏傳説要十卷　　糜信撰。

春秋塞難三卷　　服虔撰。

春秋左氏傳賈服異同略五卷　　孫毓撰。

春秋左氏傳例苑十八卷　　梁簡文帝撰。

春秋義函傳十六卷　　干寶撰。

春秋左氏釋滯十卷　　殷興撰。

春秋序論一卷　　干寶撰。

春秋左氏區分十二卷　　何始貞撰。

春秋左氏義略三十卷　　張冲撰。

春秋左氏抄十卷

左氏杜預評二卷

春秋圖七卷　　嚴彭祖撰。

春秋辭苑五卷

春秋經傳詭例疑隱一卷　　吳略撰。

春秋雜義五卷

①　"撰"字原無，據殿本、中華本補。
②　中華本、《隋志》、《新志》此條均作"服虔撰"。

春秋土地名三卷

春秋旨通十卷　王延之撰。

春秋大夫譜十一卷　顧啓期撰。

春秋叢林十二卷　李謐撰。

春秋立義十卷　崔靈恩撰。

春秋申先儒傳例十卷　崔靈恩撰。

春秋經解六卷　沈宏撰。

春秋文苑六卷　沈宏撰。

春秋嘉語六卷　沈宏撰。

春秋義略二十七卷　沈文阿撰。

春秋攻昧十二卷　劉炫撰。

春秋規過三卷　劉炫撰。

春秋述議三十七卷　劉炫撰。

春秋正義三十六卷①　孔穎達撰。

春秋公羊傳五卷　公羊高傳、嚴彭祖述。

春秋公羊經傳十三卷　何休注。

春秋公羊經傳集解十四卷　孔氏注。

春秋公羊十二卷　王愆期撰。②

春秋公羊傳記十二卷　高襲注。

何氏春秋漢議十一卷　何休撰，鄭玄駁，糜信注。

何氏春秋漢記十一卷　服虔注。③

---

① "六"，原誤作"七"。《校勘記》云："考今本係三十六卷，孔穎達自《序》亦云'凡三十六卷'，則'七'字必'六'字之訛。"據改。

② "愆"，原作"彥"，殿本、中華本、《隋志》、《新志》均作"愆"。中華書局一九七四年排印《晋書·王接傳》（以下凡言及《晋書》者，皆爲此版本）云："王愆期注《公羊》。"據改。

③ "注"，殿本、中華本均作"撰"。

春秋公羊條傳一卷　何休注。

春秋公羊墨守二卷　何休撰，鄭玄發。①

春秋公羊答問五卷　荀爽問，徐欽答。

春秋公羊音二卷　王儉撰。

春秋公羊違義三卷　劉晏撰。

春秋公羊論二卷　翼康難，王彥期答。②

春秋穀梁傳十三卷　段氏注。

春秋穀梁傳章句十五卷③　穀梁俶解，尹更始注。

春秋穀梁傳十二卷　唐固注。

又十二卷　糜信注。

又十一卷　張靖集解。

春秋公羊違義三卷　劉晏注。④

春秋穀梁經傳一十六卷⑤　程闡集注。

春秋穀梁傳一十三卷　孔衍訓註。⑥

又十二卷　范寧集注。

又十三卷　徐乾注。

春秋穀梁十二卷　徐邈注。

春秋穀梁經集解十卷　沈仲義注。

———————————

　　①　"卷"，原誤作"本"，殿本、中華本、《隋志》、《新志》均作"卷"，據改。"發"，中華本作"篋"。

　　②　"彥"，殿本、中華本、《隋志》、《新志》均作"惡"。"翼康"，中華本、《隋志》、《新志》均作"庚翼"。《校勘記》云："蓋'康'與'庚'字形相近，'庚'訛爲'康'，復誤移於'翼'下耳。"

　　③　"傳"，殿本、中華本均無。

　　④　《校勘記》云："上文云：'《春秋公羊違義》三卷，劉寔撰，劉晏注。'則此處不應重出。且前後諸條皆穀梁之書，不應此條忽雜以公羊之書也。"

　　⑤　殿本、中華本、《隋志》、《新志》均無"一"字。

　　⑥　殿本、中華本、《新志》均無"一"字。"訓註"，《隋志》作"撰"。

春秋穀梁廢疾三卷　　何休作,鄭玄釋,張靖成。①

穀梁傳義三卷　　蕭邕注。

春秋穀梁傳義十二卷　　徐邈注。

春秋穀梁音一卷　　徐邈注。②

春秋穀梁傳疏十三卷　　楊士勛撰。

春秋公羊穀梁左氏集解十一卷　　劉兆撰。

春秋三傳論十卷　　韓益撰。

春秋三傳經解十一卷　　胡訥集撰。

春秋三傳評十卷　　胡訥撰。

春秋公羊穀梁二傳評三卷　　江熙撰。

春秋繁露十七卷　　董仲舒撰。

春秋辯證明經論六卷

春秋二傳異同十一卷　　李鉉撰。

春秋合三傳通論十卷　　潘叔度注。

春秋成集十卷　　潘叔度注。

春秋外傳國語二十卷　　左丘明撰。

春秋外傳國語章句二十二卷　　王肅注。

春秋外傳國語二十一卷　　虞翻撰。

又二十一卷　　韋昭注。

又二十一卷

又二十一卷　　唐固注。

　　右春秋一百二部,一千一百八十四卷。

古文孝經一卷　　孔子説,曾參受,孔安國傳。

孝經一卷　　王肅注。

---

　　①　"成",殿本、中華本均作"箴",《隋志》、《新志》均作"笺"。
　　②　"注",殿本、中華本、《新志》均作"撰"。

又一卷　鄭玄注。

古文孝經一卷　劉邵注。

孝經一卷　韋昭注。

孝經一卷　孫熙注。

又一卷　蘇林注。

孝經默注二卷　徐整注。

又一卷　謝萬注。

又一卷　虞盤佐注。

又一卷　孔光注。

又一卷　殷仲文注。

又一卷　殷叔道注。

又一卷　魏克己注。

又一卷　玄宗注。

講孝經義四卷　車胤等注。

講孝經集解一卷　荀勖撰。

孝經義疏三卷　皇侃撰。

大明中皇太子講孝經義疏一卷　何約之執經。

孝經疏十八卷　梁武帝撰。

孝經發題四卷　太史叔明撰。

孝經述義五卷　劉炫撰。

孝經疏五卷　賈公彥撰。

越王孝經新義十卷　任希古撰。

孝經應瑞圖一卷

演孝經十二卷　張士儒撰。

孝經疏三卷　元行冲撰。

論語十卷　何晏集解。

又十卷　鄭玄注，虞喜贊。

又十卷　王肅注。

又十卷　鄭玄注。

又十卷　宋明帝補，衛瓘注。①

又十卷　李充注。

又十卷　孫綽集解。

又十卷　梁顗注。

論語集義十卷　盈氏撰。

論語九卷　孟釐注。

論語十卷　袁喬注。

又十卷　尹毅注。

又十卷　江熙集解。

又十卷　孫氏注。

次論語五卷　王劼撰。

論語音二卷　徐邈撰。

古論語義註譜一卷　徐氏撰。

論語釋義十卷　鄭玄注。

論語義注十卷　暢惠明撰。②

論語義注隱三卷

論語篇目弟子一卷　鄭玄注。

論語釋疑二卷　王弼撰。

論語釋十卷③

論語駮二卷　欒肇撰。

論語大義解十卷　崔豹撰。

---

　　① “補”，原誤作“撰”，中華本、《隋志》、《新志》均作“補”。《南史》載有宋明帝續
《論語》之事，據改。

　　② 原無“撰”字，據殿本、中華本、《隋志》、《新志》補。

　　③ 中華本、《隋志》、《新志》此條均作“欒肇撰”，《隋志》“釋”下有“疑”字。

論語旨序二卷　繆播撰。

論語體略二卷　郭象撰。

論語雜義十三卷

論語剔義十卷

論語疏十卷　皇侃撰。

論語述義二十卷　戴詵撰。

論語章句二十卷　劉炫撰。

論語疏十五卷　賈公彥撰。①

論語講疏十卷　褚仲都撰。

孔子家語十卷　王肅撰。②

孔叢子七卷　孔翽撰。③

　　右六十三部，孝經二十七家，論語三十六家，凡三百八十
七卷。

易緯九卷　宋均注。

書緯三卷　鄭玄注。

詩緯三卷　鄭玄注。

又十卷　宋均注。

禮緯三卷　宋均注。

樂緯三卷　宋均注。

春秋緯三十八卷④　宋均注。

論語緯十卷　宋均注。

---

① “撰”下原有“志”字，當爲衍文。據殿本、中華本、《新志》删。
② “撰”，中華本、《新志》均作“注”。
③ 《隋志》、《新志》無“子”字。“翽”，中華本、《隋志》、《新志》均作“鮒”。
④ 原脱“卷”字，據殿本、中華本補。

六經緯五卷① 　宋均注。

白虎通六卷　漢章帝撰。

五經雜義七卷　劉向撰。

五經通義九卷　劉向撰。

五經要義五卷　劉向撰。

五經異義十卷　許慎撰，鄭玄駁。

六藝論一卷　鄭玄注。

鄭志九卷

鄭記六卷

聖證論十一卷

五經然否論五卷　譙周撰。

五經鈎深十卷　楊方撰。

五經咨疑八卷　揚思撰。

孔子正言二十卷　梁武帝撰。

長春秋義記一百卷②　梁簡文撰。

經典大義十卷　沈文阿撰。

五經宗略四十卷　元延明撰。

七經義綱略論三十卷　樊文深撰。

質疑五卷　樊文深撰。

游玄桂林二十卷③　張譏撰。

五經正名十五卷　劉炫注。

經典釋文三十卷　陸德明撰。

---

　　①　“六”，中華本、《新志》均作“孝”。

　　②　《廿二史考異》云：“‘春’字衍。”中華本、《隋志》、《新志》均無秋字。中華書局一九七三年排印《梁書·簡文帝紀》（以下凡言及《梁書》者，皆爲此版本）云：“簡文帝著《長春義記》一百卷。”據此，衍文當爲“秋”字。

　　③　“游”，殿本、中華本、《隋志》、《新志》均作“遊”。

謚法三卷　荀顗演，劉熙注。

又謚例十卷　沈約撰。

謚法三卷　賀琛撰。

匡謬正俗八卷　顏師古撰。

集天名稱三卷

　　右三十六部，經緯九家，七經雜解二十七家，凡四百七十
　　四卷。

爾雅三卷　李巡注。

爾雅六卷　樊光注。

又六卷　孫炎注。

又三卷　郭璞注。

集注爾雅十卷　沈璇注。

爾雅音義一卷　郭璞注。

又二卷　曹憲撰。

爾雅圖一卷　郭璞注。

爾雅圖贊二卷　江灌注。

爾雅音六卷　江灌注。

續爾雅一百卷①　劉伯莊撰。

別國方言十三卷②

釋名八卷　劉熙撰。

廣雅四卷　張揖撰。

博雅十卷　曹憲撰。

---

① “百”，中華本、《新志》均無，疑爲衍文。

② 中華本、《新志》此條均作“揚雄撰”。

小爾雅一卷　李軌撰。①

纂文三卷　何承天撰。

纂要六卷　顏延之撰。

三蒼三卷　李斯等撰,郭璞解。

蒼頡訓詁二卷　杜林撰。

三蒼訓詁二卷　張揖撰。

埤蒼三卷　張揖撰。②

廣蒼一卷　樊恭撰。

説文解字十五卷　許慎撰。

説文意隱四卷③

字林十卷　呂忱撰。

字統二十卷　楊承慶撰。

玉篇三十卷　顧野王撰。

字海一百卷　天聖太后撰。④

文字釋訓三十卷　釋寶誌撰。

括字苑十三卷　馮幹撰。

字属篇一卷　賈魴撰。

古文奇字二卷　郭訓撰。

字旨篇一卷　郭玄撰。⑤

古文字詁二卷　張揖撰。⑥

詔定古文官書一卷　衛宏撰。

---

① 《校勘記》云:《小爾雅》乃孔鮒所撰,當從《隋志》、《新志》作"李軌解"。
② "揖",原誤作"挹",據中華本、《隋志》、《新志》改。
③ "意",殿本、中華本、《隋志》、《新志》均作"音"。
④ "天"、"太",中華本分別作"大"、"天"。
⑤ "玄",中華本、《新志》均作"訓"。
⑥ "挹",中華本、《新志》均作"揖"。

解字文七卷　周成撰。

雜文字音七卷　王延撰。

文字要說一卷　王氏注。

字書十卷

古今八體六文書法一卷

四體書勢一卷　衛恒撰。

要用字苑一卷　葛洪撰。

難要字三卷

文字集略一卷　阮孝緒撰。

辯嫌音二卷　楊休之撰。

文字指歸四卷　曹憲撰。

證俗音略二卷　顏愍楚撰。

叙同音三卷

覽字知源三卷

文字辯嫌一卷　彭立撰。

聲類十卷　李登撰。

韻集五卷　吕静撰。

韻略一卷　楊休之撰。

四聲韻略十三卷　夏侯詠撰。

四聲部三十卷　張諒撰。

韻篇十二卷　趙氏撰。

切韻五卷　陸慈撰。

桂苑珠叢一百卷　諸葛穎撰。

桂苑珠叢略要二十卷

急就章一卷　史游傳，曹壽解。

急就章注一卷　顏之推撰。

又一卷　顏師古撰。

凡將篇一卷　<small>司馬相如撰。</small>

飛龍篇篆草勢合三卷　<small>崔瑗撰。</small>

在昔篇一卷　<small>班固撰。</small>

太甲篇一卷　<small>班固撰。</small>

聖草章一卷　<small>蔡邕撰。</small>

勸學篇一卷　<small>蔡邕撰。</small>

黃初章一卷

吳章一卷

初學篇一卷　<small>朱嗣卿撰。</small>

始學篇十二卷　<small>項峻撰。</small>

少學集十卷　<small>楊方撰。</small>

小學篇一卷　<small>王羲之作。①</small>

續通俗文二卷　<small>李虔撰。</small>

啓疑三卷　<small>顧凱之撰。</small>

詰幼文三卷　<small>顏延之撰。</small>

辯字一卷　<small>戴規撰。</small>

俗語難字一卷　<small>李少通撰。</small>

文字志三卷　<small>王愔撰。</small>

五十二體書一卷　<small>蕭子雲撰。</small>

古來篆隸詁訓名錄一卷

書品一卷　<small>庾肩吾撰。</small>

書後品一卷　<small>李嗣貞撰。</small>

筆墨法一卷

鹿紙筆墨疏一卷

千字文一卷　<small>蕭子範撰。</small>

----

①　"作"，殿本、中華本、《隋志》、《新志》均作"撰。"

又一卷　周興嗣撰。

篆書千字文一卷

演千字文五卷

今字石經易篆三卷

今字石經尚書五卷

今字石經鄭玄尚書八卷

三字石經尚書古篆三卷

今字石經毛詩三卷

今字石經儀禮四卷

三字石經左傳古篆書十三卷

今字石經左傳經十卷

今字石經公羊傳九卷

今字石經論語二卷　蔡邕注。

雜字書八卷　釋正度作。

　　右小學一百五部，爾雅、廣雅十八家，偏傍音韻雜字八十六
　　家，凡七百九十七卷。

乙部史錄，十三家，八百四十四部，一萬七千九百四十六卷。

正史類一　編年類二　僞史類三　雜史類四　起居注類五

故事類六　職官類七　雜傳類八　儀注類九　刑法類十

目錄類十一　譜牒類十二　地理類十三

史記一百三十卷　司馬遷作。

史記八十卷　裴駰集解。

又一百三十卷　許子儒注。

史記音義十三卷　徐廣撰。

史記音義三卷　邵鄒生撰。

又三十卷　劉伯莊撰。

漢書一百十五卷　班固作。

又一百二十卷　顏師古注。

御銓定漢書八十一卷　郝處俊等撰。

漢書音訓一卷　服虔撰。

漢書集解音義二十四卷　應劭撰。

漢書叙傳五卷　項岱撰。

漢書音義九卷　孟康撰。

漢書集注十四卷　晋灼注。

漢書音義七卷　韓韋撰。①

漢書駁義二卷　劉寶撰。

漢書新注一卷　陸澄撰。

孔氏漢書音義抄二卷　孔文詳撰。

漢書續訓二卷　韋稜撰。

漢書訓纂三十卷　姚察撰。

漢書音義二十六卷　劉嗣等撰。

漢書二卷②　夏侯泳撰。

又十二卷　包愷撰。

又十二卷　蕭該撰。

漢書決疑十二卷　顏游秦撰。③

漢書古今集義二十卷　顧胤撰。

漢書正義三十卷　釋務静撰。

---

①　"韓韋"，中華本、《隋志》、《新志》均作"韋昭"。

②　中華本、《隋志》、《新志》"書"下均有"音"字。

③　"游秦"，原作"延年"。《舊唐書·顏師古傳》云："叔父游秦撰《漢書決疑》十二卷。"據改。

漢書正名氏義十三卷

漢書辯惑三十卷　　李善撰。

漢書律曆志音義二卷　　陰景倫作。①

漢書英華八卷

東觀漢記一百二十七卷　　劉珍撰。

後漢書一百三十三卷　　謝承撰。

後漢記一百卷　　薛瑩作。

後漢書八十三卷②　　司馬彪撰。

又五十八卷　　劉義慶撰。

後漢書三十一卷　　華嶠作。

又一百二卷　　謝沈撰。

後漢書外傳十卷　　謝沈撰。

漢南紀五十八卷　　張瑩撰。

後漢書一百二卷　　袁山松作。

又九十二卷　　范曄撰。

後漢書論贊五卷　　范曄撰。

後漢書五十八卷　　劉昭補注。

又一百卷　　皇太子賢注。

後漢書音三卷　　蕭該作。

又三卷　　臧兢撰。

後漢書音義二十七卷　　韋機撰。

魏書四十四卷　　王沈撰。

魏略三十八卷　　魚豢注。③

---

①　“二”，殿本、中華本、《新志》均作“一”。

②　“卷”，原無，據殿本、中華本補。

③　“注”，殿本、中華本、《新志》均作“撰”。

魏國志三十卷　陳壽撰，裴松之注。

晉書八十九卷　王隱撰。

又五十八卷　虞預撰。

又十四卷　朱鳳撰。

又三十五卷　謝靈運撰。

晉中興書八十卷　何法盛撰。

晉書一百一十卷　臧荣緒撰。

又九卷　蕭子雲撰。

又一百三十卷　許敬宗等撰。

宋書四十二卷　徐爰撰。

又四十六卷　孫嚴撰。

又一百卷　沈約撰。

後魏書一百三十卷　魏收撰。

後魏書一百七卷　魏澹撰。①

又一百卷　張大素撰。

後周書五十卷　令狐德棻撰。

隋書八十五卷　魏徵等撰。

又三十二卷　張大素撰。

齊書五十九卷　蕭子顯撰。

又八卷　劉陟撰。

梁書三十四卷　謝昊、姚察等撰。

又五十卷　姚思廉撰。

陳書三卷　顧野王撰。

---

① “後”，原無。“魏澹”，原誤作“張大素”。中華本校云：“‘後’，各本原無。此書係據魏收《後魏書》重新修撰而成，《隋志》、《新志》均有‘後’字，《隋志》作‘魏彥深撰’。彦深，澹字。”據此補、改。

又三卷　傅綽撰。

又三十六卷　姚思廉撰。

北齊末修書二十四卷[①]　李德林撰。

北齊書五十卷　李百藥撰。

又二十卷　張大素撰。

通史六百二卷　梁武帝撰。

南史八十卷　李延壽撰。

北史一百卷　李延壽撰。

右八十一部，史記六家，前漢二十五家，後漢十七家，魏三家，晉八家，宋三家，後魏三家，後周一家，隋二家，齊二家，梁二家，陳三家，北齊三家，都史三家，凡四千四百四十三卷。

紀年十四卷

漢紀三十卷　荀悅撰。

漢紀音義三卷　崔浩撰。

漢皇德紀三十卷　侯瑾撰。

後漢紀三十卷　張璠撰。

又三十卷　袁宏撰。

漢晉春秋五十四卷　習鑿齒撰。

漢靈獻二帝紀六卷　劉艾撰。

漢獻帝春秋十卷　袁曄撰。

山陽義紀　樂資撰。

魏武本紀三卷

魏武春秋二十卷　孫盛撰。

---

① “末”，殿本、中華本均作“未”。

魏紀十二卷 陰澹撰。①

國紀十卷 梁祚撰。

吳紀十卷 環濟撰。

晉帝紀四卷 陸機撰。

晉録五卷

晉紀二十二卷 干寶作。

又六十卷 干寶撰,劉恊注。

晉陽秋二十卷 檀道鸞注。

晉紀二十卷 劉謙之撰。

又十卷 曹嘉之撰。

又四十五卷 徐廣撰。

晉陽春秋二十二卷② 鄧粲撰。

晉史草三十卷 蕭景暢撰。

晉紀十一卷 鄧粲撰。

戰國春秋二十卷 李槩撰。

崇安記二卷③ 周祗撰。

又十卷 王韶之撰。

晉續記五卷 郭秀彦撰。④

三十國春秋三十卷 蕭方等撰。⑤

---

① “紀”,原作“記”,據殿本、中華本改。下“吳紀十卷”條、“晉記二十二卷”條同。“陰”,原誤作“魏”。中華本校云:《隋志》作‘左將軍陰澹撰。’《三國志》卷一九《陳思王植傳》注引陰澹《魏紀》所載植《銅雀臺賦》,則此書作者當爲晉陰澹,而非隋魏澹。”據改。

② 《廿二史考異》云:“‘春’字衍。”《新志》亦無“春”字。

③ 《廿二史考異》云:“‘崇安’本是‘隆安’,晉安帝年號也。毋煚撰録,在開元中,避明皇諱,改‘隆’爲‘崇’。”

④ “秀彦”,中華本、《隋志》、《新志》均作“季産”。

⑤ 原脱“等”字。《梁書·世祖二子傳》云:“忠壯世子方等字實相,世祖長子也。……方等注范曄《後漢書》,未就;所撰《三十國春秋》及《静住子》,行於世。”據補。

又一百卷　武敏之撰。

晉春秋略二十卷　杜延業撰。

宋紀三十卷　王智深撰。

宋略二十卷　裴子野撰。

宋春秋二十卷　鮑衡卿撰。

齊紀二十卷　沈約撰。

齊春秋三卷　吳均撰。

乘輿龍飛記二卷　鮑衡卿撰。

梁典三十卷　劉璠撰。

又三十卷　何元之撰。

梁太清紀十卷　蕭韶撰。

皇帝紀七卷

梁撮要三十卷　陰僧仁撰。

淮海亂離志四卷　蕭大圓撰。

棲鳳春秋五卷　臧嚴撰。

梁昭後略十卷　姚最撰。

天啓記十卷　守節先生撰。

梁末代記一卷

後梁春秋十卷　蔡允恭撰。

北齊記二十卷

北齊志十七卷　王劭撰。

鄴洛鼎峙記十卷

隋大業略記三卷　趙毅撰。

隋後略十卷　張大素撰。

蜀國志十五卷　陳壽撰。

吳國志二十一卷　陳壽撰，裴松之注。

吳書五十五卷　韋昭撰。

華陽國志三卷　　常璩撰。

蜀李書九卷　　常璩撰。

漢趙記十卷　　和包撰。①

趙石記二十卷　　田融撰。

二石記二十卷　　田融撰。

二石僞事六卷　　王度、隋翻等撰。

燕書二十卷　　范亨撰。

秦記十一卷　　裴景仁撰，杜惠明注。

涼記十卷　　張諮撰。②

西河記二卷　　段龜龍撰。

南燕録六卷　　王景暉撰。

南燕書五卷　　張銓撰。

拓跋涼録十卷

燕志十卷

十六國春秋一百二十卷　　崔鴻撰。③

　　右七十五部，編年五十五家，雜僞國史二十家，凡一千四百
　　十卷。

周書八卷　　孔晁注。

古文鎖語四卷

春秋前傳十卷　　何承天撰。

春秋前傳雜語十卷　　何承天撰。

周載三十卷　　孟儀注。

---

①　“包”，中華本作“苞”。

②　“諮”，中華本、《隋志》、《新志》均作“諮”。

③　原脱“撰”字，據殿本、中華本補。

春秋國語十卷　　孔衍撰。

越絕書十六卷　　子貢撰。

吳越春秋十二卷　　趙曄撰。

吳越春秋削煩五卷　　楊方撰。

吳越春秋傳十卷　　皇甫遵撰。

吳越記六卷

春秋後傳三十卷　　樂資撰。

戰國策三十二卷　　劉向撰。

戰國策論一卷　　延篤撰。

戰國策三十二卷①　　高誘注。

魯後春秋二十卷　　劉允濟撰。

楚漢春秋二十卷　　陸賈撰。

漢尚書十卷　　孔衍撰。

漢春秋十卷　　孔衍撰。

後漢尚書六卷　　孔衍撰。

後漢春秋六卷　　孔衍撰。

後漢尚書十四卷　　孔衍撰。②

後魏春秋九卷　　孔衍撰。

典略五十卷　　魚豢撰。

三史要略三十卷　　張溫撰。

正史削繁十四卷　　阮孝緒撰。

東殿新書二百卷　　高宗大帝撰。

史記要傳十卷　　衛颯撰。

---

①　原脱"卷"字。據殿本、中華本補。

②　"漢"，原作"魏"，"孔衍"原作"張溫"。《校勘記》云："孔衍乃東晉時人，不及見後魏之事，'後'字必是衍文，當删去。下條《後魏春秋》'後'字亦然。"中華本校云："《史通》卷一六家言晉孔衍'有《漢尚書》、《後漢尚書》、《漢魏尚書》，凡爲二十六卷'。"據改。

古史考二十五卷　　譙周撰。

史記正傳九卷　　張瑩撰。

史要三十八卷　　王延秀撰。

合史二十卷

史漢要集二卷　　王蔑撰。

後漢書抄三十卷　　葛洪撰。

後漢書略二十五卷　　張緬撰。

後漢書纘十三卷　　范曄撰。

後漢文武釋論二十卷　　王越客撰。

三國評三卷　　徐衆撰。

晉書鈔三十卷　　張緬撰。

代譜四百八十卷　　周武帝敕撰。

漢書英雄記十卷　　王粲等撰。

九州春秋九卷　　司馬彪撰。

魏陽秋異同八卷　　孫盛撰。

魏武本紀年曆五卷

漢表十卷　　袁希之撰。

刪補蜀記七卷　　王隱撰。

吳録三十卷　　張勃撰。

魏記三十三卷　　盧彥卿撰。

關東風俗傳六十三卷　　宋孝王撰。

隋書八十卷　　王劭撰。①

王業曆二卷　　趙弘禮撰。

隋開業平陳記十二卷　　裴矩撰。

---

①　“劭”，原誤作“邵”。《隋書·王劭傳》云：“劭……專典國史，撰《隋書》八十卷。”據改。

古今注八卷　　伏无忌撰。

帝王本紀十卷　　來奧撰。

拾遺録三卷　　王嘉撰。

王子拾遺記十卷①　　蕭綺録。

帝王略要十二卷　　環濟撰。

先聖本紀十卷　　劉滔撰。

華夷帝王記三十七卷　　楊曄撰。

後漢雜事十卷

漢魏晉帝要記三卷　　賈匪之撰。

魏晉代語十卷　　郭頒撰。

吳朝人士品秩狀八卷　　胡冲撰。

吳士人行狀名品二卷　　虞尚撰。

江表傳五卷　　虞溥撰。

晉諸公讚二十二卷　　傅暢撰。

晉後略記五卷　　荀綽撰。

宋拾遺録十卷　　謝綽撰。

宋齊語録十卷　　孔思尚撰。

帝王略論五卷　　虞世南撰。

十世興王論十卷　　朱敬則撰。

洞曆記九卷　　周樹撰。

帝系譜二卷　　張愔等撰。

洞記九卷　　韋昭撰。

三五曆記二卷　　徐整撰。

通曆二卷　　徐整撰。

雜曆五卷　　徐整撰。

---

①　中華本、《新志》"子"下均有"年"字。

國志曆五卷　　孔衍撰。

帝王代記十卷　　皇甫謐撰。①

年曆六卷　　皇甫謐撰。

續帝王代記十卷　　何集撰。

十五代略十卷　　吉文甫撰。

吳曆六卷　　胡冲撰。

晉曆二卷

帝王代紀十六卷

年曆帝紀二十六卷　　姚恭撰。

帝録十卷　　諸葛忱撰。

長曆十四卷

曆代記三十卷　　庾和之撰。

千年曆二卷

千歲曆三卷　　謝氏志作。②

十代記十卷　　熊襄撰。

帝王年曆五卷　　陶弘景撰。

分王年表八卷　　羊瑗撰。

曆紀十卷

通曆七卷　　李仁實撰。

帝王編年録五十一卷　　盧元福撰。

共和已来甲乙紀年二卷　　盧元福撰。

帝王紀録三卷

---

①　《廿二史考異》云：“‘代’本‘世’字，避諱改。郭邠《魏晉代語》、何集《續帝王代紀》、《虞茂代集》、《鄭代翼集》，皆以‘代’爲也。”

②　“謝”，殿本、中華本、《新志》均作“許”；“志”，殿本、中華本均無。

右雜史一百二部，凡二千五百五十九卷。

穆天子傳六卷　　郭璞撰。

漢獻帝起居注五卷

晉太始起居注二十卷　　李軌撰。

晉愍帝起居注三十卷　　李軌撰。

晉太康起居注二十二卷　　李軌撰。

晉永平起居注八卷　　李軌撰。

晉建武大興永昌起居注二十二卷

晉咸和起居注十八卷　　李軌撰。

晉咸康起居注二十二卷　　李軌撰。

晉建元起居注四卷

晉永和起居注二十四卷^①

晉升平起居注十卷^②

晉崇和興寧起居注五卷

晉太和起居注六卷

晉咸安起居注三卷

晉寧康起居注六卷

晉太元起居注五十二卷

晉崇安起居注十卷^③

晉元興起居注九卷

---

①　原脱“注”字，據殿本、中華本補。

②　“升”，原作“永”。《校勘記》云：“升平係穆帝年號，在建元、永和之後。若永平乃惠帝年號，已見於上文，不應複見於此。《隋志》、《新志》皆作‘升’，當從之。”據改。

③　“安”，原作“寧”。《廿二史考異》云：“‘崇寧’當爲‘崇安’，即‘隆安’也。隆安紀元，在寧康、太元之後，元興熙之前。此下又有《晉崇安元興大亨副詔》八卷，可見‘崇寧’爲‘崇安’之訛。”據改。

晉義熙起居注三十四卷^①

晉元熙起居注二卷

晉起居注三百二十卷^②　　劉道會撰。

宋永初起居注六卷

宋景平起居注三卷

宋元嘉起居注六十卷

宋大明起居注八卷^③

梁皇帝實録三卷　　周興嗣撰。

又五卷

梁太清實録八卷

後魏起居注二百七十六卷

陳起居注四十一卷

　大唐創業起居注三卷　　溫大雅撰。

高祖實録二十卷　　房玄齡撰。

太宗實録二十卷　　房玄齡撰。

太宗實録四十卷　　長孫無忌撰。

高祖實録三十卷^④　　許敬宗撰。

述聖記一卷　　大聖天后撰。

高祖實録一百卷^⑤　　大聖天后撰。

聖母神皇實録十八卷　　宗泰容撰。^⑥

---

①　原脱"注"字,據殿本、中華本補。

②　原脱"居"字,據殿本、中華本補。

③　"大",原誤作"太"。《校勘記》云:"宋孝武帝之年號係大明,非太明。"《隋志》、《新志》均作"大"。"注",原脱,據殿本、中華本補。

④　"祖",殿本、中華本均作"宗"。

⑤　"祖",殿本、中華本均作"宗"。《新志》亦云:"武后撰《高宗實録》一百卷。"據此,"祖"當爲"宗"之訛。

⑥　"泰容",殿本、中華本、《新志》均作"秦容"。

中宗皇帝實錄二十卷　　吳兢志。①

漢武故事二卷

西京雜記一卷　　葛洪撰。

三輔舊事一卷　　韋氏撰。

秦漢已來舊事八卷

漢魏吳蜀舊事八卷

晉書雜詔書一百卷

又二十八卷

晉雜詔書六十六卷

晉詔書黃素制五卷

　晉定品制一卷

晉太元副詔二十一卷

晉崇安元興大享副詔八卷

晉義熙詔二十二卷

晉故事四十三卷

晉諸雜故事二十二卷

尚書大義二十一卷

晉太始太康故事五卷②

晉建武咸和咸康故事四卷　　孔愉撰。

晉建武已來故事三卷

修復山林故事五卷　　車灌撰。

先朝故事二十卷　　劉道會撰。

東宮舊事十一卷　　張敞撰。③

---

① "志"，殿本、中華本均作"撰"。

② 原脫後一"太"字，據殿本、中華本補。

③ "敞"，殿本、中華本均作"敞"。

交州雜故事九卷

四王起居四卷^①　　盧綝撰。

晉八王故事十二卷　　盧綝撰。

晉故事三卷

晉朝雜事二卷

江南故事三卷

大司馬陶公故事三卷

郄太尉爲尚書令故事二卷

桓公僞事二卷　　應德擔志。^②

救襄陽上都督府事一卷　　王愆期撰。

荆江楊山州遷代記四卷^③

宋永初詔六卷

宋元嘉詔二十一卷

晉宋舊事一百三十卷

中興代逆事二卷^④

東宮儀記二十二卷　　張鏡撰。

東宮典記七十卷　　宇文禮等志。^⑤

春坊要録四卷　　杜正倫撰。

春坊舊事三卷

漢官儀十卷　　應劭志。

公卿故事二卷　　王方慶撰。

---

① “居”，中華本作“事”。

② “擔”，中華本、《新志》均作“詹”。

③ “山”，殿本、中華本均無。《新志》此條作“荆揚二州遷代記四卷。”《校勘記》云：“考江州在六朝時亦爲重鎮，與荆揚相埒。……‘山州’必是‘三州’之誤，惟撰人無可考耳。”

④ “代”，殿本、中華本、《新志》均作“伐”。

⑤ “禮”，殿本、中華本、《隋志》、《新志》均作“愷”；“志”，殿本、中華本均作“撰”。

漢官解故事三卷①

魏官儀一卷　　荀攸撰。

晋公卿禮秩九卷　　傅暢撰。

百官名四十卷

晋惠帝百官名三卷②　　陸機撰。

晋官屬名四卷

晋過江人士目一卷

晋永嘉流十三卷③　　衞禹撰。

登城三戰簿三卷

百官階次一卷　　沈曄撰。④

宋百官階次三卷　　荀欽明撰。

百官春秋十三卷　　王道秀撰。

齊職儀五十卷　　王珪之撰。⑤

職官要録三十卷　　陶樔撰。⑥

梁遷簿三卷⑦　　徐勉撰。

陳將軍簿一卷

職員令百官古今注十卷⑧　　郭演之撰。

大建十一年百官簿狀二卷⑨

---

① 中華本無“事”字。
② “惠”，原誤作“魏”，據殿本、中華本、《新志》改。
③ 殿本、中華本、《新志》“流”下均有“士”字。
④ “沈”，殿本、中華本均作“范”。
⑤ “王珪之”，原誤作“范曄”。案：范曄受誅於宋元嘉二十二年，不應著此書。《隋志》、《新志》此條均作“王珪之撰”。中華書局一九七二年排印《南齊書·王逡之傳》云：“從弟珪之，有史學，撰《齊職儀》。”據改。
⑥ “樔”，殿本、中華本均作“藻”，《隋志》作“藻”，《新志》此條作“陶彦藻撰”。
⑦ “遷”，中華本、《隋志》、《新志》均作“選”。
⑧ 殿本、中華本均無“員”字。
⑨ “大”，中華本、《新志》均作“太”。

職員舊事三十卷

右一百四部，列代起居注四十一家，列代故事四十二家，列代職官二十一家，凡二千二百三十三卷。

三輔決録七卷　趙岐撰，摯虞注。

海内先賢傳四卷　魏明帝撰。

海内先賢行狀三卷　李氏撰。

海内士品録二卷　魏文帝撰。

四海耆舊傳一卷　李氏撰。

廬江七賢傳一卷

陳留耆舊傳三卷①　蘇林撰。

陳留先賢像讚一卷　陳英志。②

陳留志十五卷　江徵撰。③

汝南先賢傳三卷　周裴撰。

廣州先賢傳七卷　陸胤撰。

諸國先賢傳一卷

豫章舊志八卷　徐整撰。

濟北先賢傳一卷

廣陵列士傳一卷　華隔撰。

桂陽先賢畫讚五卷　張勝撰。

會稽記四卷　朱育撰。

會稽典録二十四卷　虞預撰。

會稽先賢傳五卷　謝承撰。

---

①　“舊”字據殿本、中華本補。《後漢書》李賢注、《三國志》裴松之注引此書均作“陳留耆舊傳”。

②　殿本、中華本、《隋志》、《新志》此條均作“陳英宗撰”。

③　“徵”，中華本、《隋志》、《新志》均作“敞”。

會稽後賢傳三卷　鍾離岫撰。

會稽先賢像讚四卷　賀氏撰。

會稽太守像讚二卷　賀氏撰。

吳國先賢讚三卷

益部耆舊傳十四卷　陳壽撰。

魯國先賢志十四卷　白褒撰。

楚國先賢志十二卷　楊方撰。

荆州先賢傳三卷　高範撰。

兗州山陽先賢讚一卷　仲長統撰。

交州先賢傳四卷　范瑗撰。

襄陽耆舊傳五卷　習鑿齒撰。

零陵先賢傳一卷

徐州先賢傳一卷

長沙舊邦傳讚三卷　劉成撰。①

徐州先賢傳九卷

敦煌實録二十卷　劉延明撰。

武昌先賢傳三卷　郭延生撰。②

海岱志十卷　崔蔚祖撰。

吳郡錢塘先賢傳五卷　吳均撰。

幽州古今人物志十三卷　陽休之撰。

孝子傳十五卷　蕭廣濟撰。

又八卷　師覺授撰。

孝子傳十五卷③　王韶之撰。

---

① “成”，中華本、《隋志》、《新志》均作“或”。

② “延”，中華本、《新志》均作“緣”。

③ 殿本、中華本、《隋志》“傳”字後均有“讚”字。

孝子傳十卷　宗躬撰。

雜孝子傳二卷

孝子傳一卷　虞盤佐撰。

又三卷　徐廣撰。

孝子傳讚十卷　鄭緝之撰。

孝德傳三十卷　梁元帝撰。

孝友傳八卷　梁元帝撰。

忠臣傳三十卷　梁元帝撰。

顯忠錄二十卷　元懌撰。

忠孝圖傳讚二十卷　李襲譽撰。

英藩可錄事二卷　殷系撰。

自古諸侯王善惡錄二卷　魏徵撰。

列藩正論三十卷　章懷太子撰。

良史傳十卷①　鍾岏撰。

丹陽尹傳十卷　梁元帝撰。

高士傳三卷　嵇康撰。

上古以来聖賢高士傳讚三卷　周續之撰。

高士傳七卷　皇甫謐傳。

續高士傳八卷　周弘讓撰。

逸人傳三卷　張顯撰。

逸人高士傳八卷　習鑿齒撰。

名士傳三卷　袁尚撰②。

竹林七賢論二卷　戴筵撰。③

---

① "史",中華本、《隋志》、《新志》均作"吏"。
② "尚",殿本、中華本均作"宏"。
③ "筵",殿本、中華本、《隋志》、《新志》均作"逵"。

真隱傳二卷　袁淑撰。

高士傳二卷　虞盤佐撰。

高隱傳二卷　阮孝緒撰。

七賢傳七卷　孟仲暉撰。

高才不遇傳四卷　劉畫撰。

列女傳二卷　劉向撰。

陰德傳二卷　范晏撰。

止足傳十卷　王子良撰。①

同姓名錄一卷　梁元帝撰。

全德志一卷　梁元帝撰。

高僧傳六卷　虞孝敬撰。

悼善列傳四卷

幼童傳十卷　劉昭撰。

知己傳一卷　盧思道撰。

交遊傳二卷　鄭世翼撰。

秘錄二百七十卷　元暉等撰。

畫讚五十卷　漢明帝撰。

春秋列國名臣傳九卷　孫敏撰。

四科傳讚四卷　姚澹撰。

七國叙讚十卷

益州文翁學堂圖一卷

孔子弟子傳五卷

先儒傳五卷

---

① 原脱"撰"字,據殿本、中華本補。《校勘記》云:"《新志》云'齊竟陵王子良《止足傳》十卷',蓋子良爲齊之宗室,故不更加'蕭'字於上也。竊疑'王'字上原有'齊竟陵'三字,而傳寫者脱去耳。"

雜傳六十五卷

又九卷

又四十卷

集記一百卷　　王孝恭撰。

東方朔傳八卷

李固別傳七卷

梁冀傳二卷

何顒傳一卷

曹瞞傳一卷　　吳人作。

毋丘儉記三卷

管輅傳二卷　　管辰撰。

諸葛亮隱没五事一卷　　郭冲撰。

玄晏春秋二卷　　皇甫謐撰。

薛常侍傳二卷　　荀伯子撰。

桓玄傳二卷

文林館記十卷　　鄭忱撰。

文士傳五十卷　　張騭撰。

文館詞林文人傳一百卷　　許敬宗撰。

列仙傳讚二卷　　劉向撰。

神仙傳十卷　　葛洪撰。

洞仙傳十卷　　見素子撰。

高士老君内傳三卷　　尹喜、張林亭撰。

孝子傳一卷

關令尹喜傳一卷　　鬼谷先生撰，四皓注。

王喬傳一卷

茅君内傳一卷

漢武帝傳二卷

清虛真人王君內傳一卷

蘇君記一卷　　周季通撰。

靈人辛玄子自序一卷　　辛玄子撰。

三天法師張君內傳一卷　　王葰撰。

太極左仙公葛君內傳一卷　　吕先生注。

紫陽真人周君傳一卷　　華嶠撰。

仙人馬君陰君內傳一卷　　趙昇撰。

清虛真人裴君內傳一卷①　　鄭子雲撰。

紫虛元君南岳夫人內傳一卷　　范邈撰。

九華真妃內記一卷

許先生傳一卷　　王羲之撰。

養性傳二卷

周氏冥通記一卷　　陶弘景撰。

學道傳二十卷　　馬樞撰。

嵩高少室寇天師傳三卷　　宋都能撰。

華陽子自序一卷　　茅處玄撰。

漢別國洞冥記四卷　　郭憲撰。

名僧傳三十卷　　釋寶唱撰。

比丘尼傳四卷　　釋寶唱撰。

高僧傳十四卷　　釋惠皎撰。

續高僧傳二十卷　　釋道宣撰。

續高僧傳三十卷　　釋道宣撰。

西域永法高僧傳二卷②　　釋義凈撰。

---

① 原無"人裴"二字。《新志》此條作"鄭雲千撰"。中華本校云："《雲笈七籤》有
《清靈真人裴君傳》，云弟子鄧雲子撰。"據補。

② "永"，中華本作"求"。

名僧錄十五卷　裴子野撰。

薩婆多部傳四卷　釋僧佑撰。

草堂法師傳一卷　陶弘景撰。

草堂法師傳一卷　蕭理撰。

稠禪師傳一卷

列異傳三卷　張華撰。

甄異傳三卷　戴異撰。①

徵應集二卷

雜傳十卷

搜神記三十卷　干寶撰。

志怪四卷　祖台之撰。

志怪四卷　孔氏撰。

靈鬼志三卷　荀氏撰。

鬼神列傳二卷　謝氏撰。

幽明錄三十卷　劉義慶撰。

齊諧記七卷　東陽無疑撰。

續齊諧記一卷　吳均撰。

石異得三卷　袁玉壽撰。②

述異記十卷　祖冲之撰。

感應傳八卷　王延秀撰。③

冥詳記十卷④　王琰撰。

---

① “異”，中華本、《隋志》均作“祚”。

② “石”，中華本作“古”；“得”，殿本、中華本均作“傳”；“玉”，殿本、中華本均作“仁”。

③ “延”，原作“廷”，《隋志》、《新志》均作“延”。中華本校云：“慧皎《高僧傳》序云：‘太原王延秀撰《感應傳》。’”據改。

④ “詳”，殿本、中華本均作“祥”。

續冥詳記十一卷　　王曼撰。①

繋應驗記一卷　　陸果撰。

神録五卷　　劉之道撰。②

妍神記十卷　　梁元帝撰。

因果記十卷　　劉泳撰。

近異録二卷　　劉質撰。

冤魂志三卷　　顧之推撰。

集靈記十卷　　顧之推撰。③

旌異記十五卷　　侯君集撰。④

宜報記二卷⑤　　唐臨撰。

列女傳六卷　　皇甫謐撰。

列女後傳十卷　　顏原撰。

列女傳七卷　　綦母遂撰。⑥

女記十卷　　杜預撰。

列女傳序讚一卷　　孫夫人撰。

后妃記四卷　　虞道之撰。⑦

列女傳一百卷　　大聖天后撰。

古今内範記一百卷

内範要略十卷

---

①　中華本、《隋志》"曼"後均有"穎"字,《新志》"曼"後作"穎"。

②　"道",中華本、《隋志》均作"遴"。

③　此條與上條中之"顧",殿本、中華本均作"顏"。

④　"集",中華本作"素"。《校勘記》云:"《隋志》、《新志》皆作'素',雖未言其爲何時之人,然《隋志》列其書於王劭《舍利感應記》之前,則其人當在隋代以前可知。若侯君集乃唐初之武將,未必能著此書,且此書果係君集所撰,則不應入《隋志》矣。"

⑤　"宜",殿本、中華本均作"冥"。

⑥　"母遂",殿本、中華本、《隋志》、《新志》均作"毋邃"。

⑦　"道",中華本、《新志》均作"通"。

保傳乳母傳一卷　　大聖天后撰。

魯國先賢志二卷　　白雜撰。

　　右雜傳一百九十四部，襃先賢耆旧三十九家，孝友十家，忠節三家，列藩三家，良史二家，高逸十八家，雜傳五家，科錄一家，雜傳十一家，文士三家，仙靈二十六家，高僧十家，鬼神二十六家，列女十六家，凡一千九百七十八卷。

漢舊儀四卷①　　衛宏撰。

輿服志一卷　　董巴撰。

甲辰儀注五卷

晋尚書儀曹新定儀注四十一卷　　徐廣撰。

司徒儀注五卷　　干寶撰。

車服雜注一卷　　徐廣撰。

冠婚儀四卷

大駕鹵簿一卷

晋儀注三十九卷

晋雜儀注二十一卷

宋儀注三十六卷

諸王國雜儀十卷

雜府州郡儀十卷　　范注撰。②

雜儀注一百八卷

古今輿服雜事十卷　　周遷撰。

晋尚儀曹吉禮儀注三卷③

────────

　①　“舊”，原誤作“書”，中華書局一九六五年排印《後漢書·儒林列傳》云“宏作《漢舊儀》四篇”，據改。

　②　“注”，中華本、《新志》均作“汪”。

　③　殿本、中華本、《新志》“尚”字後均有“書”字。

宋儀注二卷

梁祭地祇陰陽儀注二卷　　沈約撰。

梁吉禮儀注十卷

梁吉禮十八卷　　明山等撰。①

陳吉禮儀注五十卷　　雜撰。

北齊吉禮七十二卷　　趙彥琛撰。②

隋吉禮五十四卷　　高熲等撰。③

梁皇帝崩凶儀十一卷　　嚴植之撰。

梁凶禮天子喪禮七卷

梁凶禮天子喪禮五卷　　嚴植之撰。

梁太子妃薨凶儀注九卷

梁王侯已下凶禮九卷　　嚴植之撰。

梁諸侯世子凶儀注九卷

北齊王太子喪禮十卷　　趙彥琛撰。

隋書禮七卷　　高熲等撰。

梁賓禮一卷　　賀錫等撰④。

陳賓禮儀注六卷　　張彥志。

梁嘉禮三十五卷　　司馬褧撰。

梁嘉禮儀注二十一卷　　司馬褧撰。

梁軍禮四卷　　陸璉撰。

梁儀注十卷　　沈約撰。

梁尚書儀注十八卷　　雜撰。

----

① 中華本、《隋志》、《新志》"山"後均有"賓"字。

② "琛"，中華本作"深"，下"北齊王太子喪禮十卷"條同。

③ "熲"，原誤作"穎"，據中華本、《新志》改。下"隋書禮七卷"條、"隋律十二卷"條同。

④ "錫"，中華本、《新志》均作"瑒"。

陳尚書曹儀注二十卷　　雜志。

梁陳大行皇帝崩儀注八卷

梁大行皇后崩儀注一卷

陳諸帝后崩儀注五卷

陳雜吉儀志三十卷

陳雜儀注凶儀十三卷

陳皇太子妃薨儀注五卷　　儀曹志。

陳雜儀注六卷

陳皇太后崩儀注四卷　　儀曹撰。

理禮儀注九卷　　何點撰。

後魏儀注三十二卷　　常景撰。

魏明帝謚議二卷　　何晏撰。

晉謚議八卷

晉簡文謚議四卷

魏氏郊丘三卷

魏臺雜訪儀三卷　　高崇撰。①

晉明堂郊社議三卷　　孔朝等撰。

晉七廟議三卷　　蔡謨撰。

雜議五卷　　干寶撰。

晉雜議十卷　　荀顗等撰。

要典三十九卷　　王景之撰。

齊典四卷　　王逸志。

皇典五卷　　丘孝仲撰。

太宗文皇帝政典三卷　　李延壽撰。

---

　　① “崇”，中華本、《新志》均作“堂隆”。《校勘記》云：“作‘崇’者，蓋避元宗之諱，後脫去‘堂’字耳。”

弔答書儀十卷　　王儉撰。

書筆儀二十卷　　謝朓撰。

雜儀三十卷　　鮑昶撰。

皇室書儀十三卷　　鮑行卿撰。

婦人書儀八卷　　唐瑾撰。

童悟十三卷

大唐書儀十卷　　裴矩撰。

皇帝封禪儀六卷　　令狐德棻撰。

封禪録十卷　　孟利貞撰。

神岳封禪儀注十卷　　裴子貞撰。①

玉璽譜一卷　　僧約貞撰。

傳國璽十卷　　姚察撰。

玉璽正録一卷　　徐令信撰。

明堂義一卷　　張大瓚撰。

大享明堂儀注二卷　　郭仙暉撰。②

親享大廟儀三卷　　郭仙暉撰。

明堂儀注七卷　　姚璠等撰。

皇太子方岳亞獻儀二卷

　　右儀注八十四部,凡一千一百四十六卷③

開元前格十卷④　　姚崇等撰。

_____

開元後格九卷　宋璟等撰。

令三十卷

式二十卷　姚崇等撰。

永徽散行天下格中本七卷

永徽留本司行中本十八卷　源直心等撰。

永徽令三十卷

永徽留本司格後本十一卷　劉仁軌撰。

永徽成式十四卷

永徽散頒天下格七卷

永徽留本司行格十八卷　長孫无忌撰。

永徽中式本四卷

垂拱式二十卷

垂拱格二卷

垂拱留司格六卷　裴居道撰。

刑法律本二十一卷　賈充等撰。

律解二十一卷　張斐撰。

漢建武律令故事三卷

律略論五卷　劉邵撰。

漢朝駁義三十卷　應邵撰。

漢名臣奏三十卷　陳壽撰。

又二十九卷

廷尉決事二十卷

廷尉駁事十一卷

廷尉雜詔書二十六卷

晉令四十卷　賈充等撰。

南臺奏事二十二卷

晉駁事四卷

晉彈事九卷

齊永明律八卷　宋躬撰。

梁律二十卷　蔡法度撰。

梁令三十卷　蔡法度撰。

梁科二卷　蔡法度撰。

陳令三十卷　范泉等撰。

陳科三十卷　范泉志。

北齊律二十卷　趙郡王獻撰。①

北齊令八卷

周大律二十五卷　趙肅等撰。

隋律十二卷　高熲等撰。

隋大業律十八卷

隋開皇令三十卷　裴正等撰。

法例二卷　崔知悌等撰。

令律十二卷　裴寂撰。

律疏三十卷　長孫无忌撰。

武德令三十一卷　裴寂等撰。

貞觀格十八卷　房玄齡撰。

　　右刑法五十一部，凡八百一十四卷。

七略別錄二十卷　劉向撰。

七略七卷　劉歆撰。

今書七志七十卷　王儉撰，賀縱補。

七錄十二卷　阮孝緒撰。

中書簿十四卷　荀勗撰。

---

① "邵"，中華本、《新志》均作"郡"；"獻"，中華本、《新志》均作"叡"。

元徽元年書目四卷^①　王儉撰。

梁天監四年書目四卷　丘賓卿撰。

陳天嘉四部書目四卷

隋開皇四年書目四卷　牛弘撰。

隋開皇二十年書目四卷　王邵撰。

史目三卷　楊公珍撰。^②

文章志四卷　摯虞撰。

新撰文章家集五卷　荀勗撰。

續文章志二卷　傅亮撰。

義熙已來雜集目録三卷　丘深之撰。

名手畫録一卷

法書目録六卷　虞和撰。

群書四録二百卷^③　元行冲撰。

　　右雜四部書目十八部,凡二百一十七卷。

世本四卷　宋衷撰。^④

世本別録一卷

帝譜世本七卷　宋均撰。

世本譜二卷

漢氏帝王譜二卷

司馬氏世家二卷

百家集譜十卷　王儉撰。

----

① "元",原誤作"永",據殿本、中華本、《隋志》、《新志》改。

② "公",殿本、中華本、《新志》均作"松"。

③ "群",原誤作"郡",據殿本、中華本、《新志》改。

④ "衷",原作"表",殿本、中華本、《隋志》、《新志》皆作"衷",據改。

百家譜三十卷　　王僧儒撰。①

氏族要狀十五卷　　賈希景撰。

永和中表簿六卷

姓氏英賢譜一百卷　　賈執撰。

百家譜五卷　　賈執撰。

國親皇太子親傳四卷　　賈冠撰。

大同四年中表簿三卷②

齊梁宗簿三卷

後魏辯宗録二卷　　元暉業撰。

姓苑十卷　　何承天撰。

後魏譜二卷

後魏方司格一卷

十八州譜七百一十二卷　　王僧孺撰。

冀州譜七卷

洪州譜九卷

袁州譜七卷

大唐氏族志一百卷　　高士廉撰。

姓氏譜二卷③　　許敬宗撰。

著姓略記十卷　　路敬淳撰。

衣冠譜六十卷　　路敬淳撰。

大唐姓族系録二百卷　　柳沖撰。④

---

① "儒"，殿本、中華本、《隋志》、《新志》均作"孺"。

② "大"，原誤作"太"。《校勘記》云："《新志》亦作'大'。蓋大同乃梁武帝之年號，若太同則自來無此年號。"據改。

③ 殿本、中華本、《新志》"二"下均有"百"字。

④ "沖"，原誤作"中"。《舊唐書·儒學列傳》云："沖始與侍中魏知古……等撰成《姓族系録》二百卷奏上。"據改。

褚氏家傳一卷　褚結撰，褚淘注。

殷氏家傳三卷　殷敬等撰。

桂氏世傳七卷　崔項撰。①

邵氏家傳十卷

楊氏譜一卷

蘇氏譜一卷

韋氏家傳三卷　皇甫謐撰。②

王氏家傳二十一卷

江氏家傳七卷　江統撰。

暨氏家傳一卷

虞氏家傳五卷　虞覽撰。

裴氏家記三卷　裴松之撰。

孫氏譜記十五卷

諸葛傳五卷

曹氏家傳一卷　曹毗撰。

荀氏家傳十卷　荀伯子撰。

諸王傳一卷

陸史十五卷　睦煦撰。③

明氏世録五卷　明粲撰。

庾氏家傳三卷　庾守業撰。

韋氏譜十卷　韋鼎等撰。

爾朱氏家傳二卷　王邵撰。

何妥家傳二卷

---

①　“崔項”，殿本、中華本均作“桂顏”。

②　“謐”，殿本、中華本均作“謐”。

③　“五”後原衍“五”字，據殿本、中華本刪；“睦”，殿本、中華本均作“陸”。

令狐家傳一卷　　令狐德棻撰。

裴若弼家傳一卷

敦煌張氏家傳二十卷　　張太素撰。

裴氏家諜二十卷　　裴守貞撰。

　　右雜譜諜五十五部，凡一千六百九十一卷。

山海經十八卷　　郭璞撰。

山海經圖讚二卷　　郭璞撰。

山海經音二卷

水經二卷　　郭璞撰。

又四十卷　　酈道元注。

三輔黃圖一卷

漢宮閣簿三卷

洛陽宮殿簿三卷

關中記一卷　　潘岳撰。

洛陽記一卷　　陸機撰。

西京雜記一卷　　葛洪撰。

洛陽圖一卷　　楊佺期撰。

洛陽記一卷　　戴延之撰。

廟記一卷

洛陽伽藍記五卷　　楊衒之撰。

西京記三卷　　薛冥志。

東都記三十卷　　鄧行儼撰。

分吳會丹陽三郡記三卷

陳留風俗傳三卷　　闕稱撰。①

---

① "闕"，中華本、《隋志》、《新志》均作"圈"。

風土記十卷　　周處撰。

吳地記一卷　　張勃撰。

南雍州記三卷　　郭仲彥撰。

南徐州記二卷　　山謙之撰。

東陽記一卷　　鄭緝之撰。

京口記二卷　　劉損之撰。

湘州圖記一卷

徐地録一卷　　劉芳撰。

齊州記四卷　　李叔布撰。

中岳潁川志五卷^①　　樊文深撰。

潤州圖經二十卷　　孫處玄撰。

地記五卷　　太康三年撰。

州郡縣名五卷　　太康三年撰。

十三州志十四卷　　闞駰撰。

魏諸州記二十卷

地理書一百五十卷　　陸澄撰。

地記二百五十二卷　　任昉撰。

雜志記十二卷

雜地記五卷

國郡城記九卷　　周明帝撰。

輿地志三十卷　　顧野王撰。

周地圖九十卷

隋圖經集記一百卷^②　　郎蔚之撰。

---

① “潁”，原作“穎”，據殿本、中華本、《隋志》、《新志》改。

② “圖”，原作“國”，《新志》作“圖”。《隋志》有《隋諸州圖經集》。中華本校云：“《太平御覽》及《太平寰宇記》常引《隋圖經》，省‘集記’二字。”據改。

區宇圖一百二十八卷　虞茂撰。

括地志序略五卷　魏王泰撰。

交州異物志一卷　楊孚撰。

暢異物志一卷　陳祈撰。

南州異物志一卷　萬震撰。

扶南異物志一卷　朱應撰。

臨海水土異物志一卷　沈瑩撰。

江記五卷　庾仲雍撰。

漢水記五卷　庾仲雍撰。

尋江源記五卷　庾仲雍撰。

又一卷

四海百川水記一卷　釋道安撰。

西征記一卷　戴祚撰。

述征記二卷　郭象撰。①

隋王入沔記十卷　沈懷文撰。

輿駕東幸記一卷　薛泰撰。

述行記二卷　姚最撰。

魏聘使行記五卷

巡總楊州記七卷　諸葛穎撰。

諸郡土俗物産記十九卷

京兆郡方物志三十卷

十洲記一卷　東方朔撰。

神異經二卷②　東方朔撰。

蜀王本紀一卷　楊雄撰。

---

①　"象",中華本、《隋志》、《新志》均作"緣生"。
②　原脱"卷"字,據殿本、中華本補。

三巴記一卷　　譙周撰。

外國傳一卷　　釋智猛撰。

歷國傳二卷　　釋法盛撰。

南越志五卷　　沈懷遠撰。

日南傳一卷

職貢圖一卷　　梁元帝撰。、

林邑國記一卷

真臘國事一卷

魏國已西十一國事一卷　　宋雲撰。

交州已來外國傳一卷

奉使高麗記一卷

西域道理記三卷①

赤土國記二卷　　常駮等撰。②

高麗風俗一卷　　裴矩撰。

中天竺國行記十卷　　王玄策撰。

西南蠻入朝首領記一卷

職方記十六卷

長安四年十道圖十三卷

開元三年十道圖十卷　　劍南地圖二卷

　　右地理九十三部，凡一千七百八十二卷。

---

①　“理”，中華本、《隋志》、《新志》均作“里”。

②　“駮”，殿本、中華本、《新志》均作“駿”。

經　籍　下

　　丙部子録，十七家，七百五十三部，書一萬五千六百三十七卷。

　　儒家類一　道家類二　法家類三　名家類四　墨家類五縱橫家類六　雜家類七　農家類八　小説類九　天文類十曆算類十一　兵書類十二　五行類十三　雜藝術類十四　事類十五　經脉類十六　醫術類十七

曾子二卷　　曾參撰。

晏子春秋七卷　　晏嬰撰。

子思子八卷　　孔伋撰。

公孫尼子一卷　　公孫尼撰。

孟子十四卷　　孟軻撰，趙岐注。

又七卷　　劉熙注。

又七卷　　鄭玄注。①

又七卷　　綦毋邃注。

孫卿子十二卷　　荀況撰。

董子二卷　　董無心撰。

魯連子五卷　　魯仲連撰。

新語二卷　　陸賈撰。

賈子九卷　　賈誼撰。

---

　　①　"注"，原誤作"撰"，據殿本、中華本改。

鹽鐵論十卷　桓寬撰。

新序三十卷　劉向撰。

說苑三十卷　劉向撰。

楊子法言六卷　楊雄撰。

又十卷　宋衷注。

又十三卷　李軌注。

楊子太玄經十二卷　楊雄撰,陸績注。

又十四卷　虞翻注。

又十二卷　范望注。

又一十卷　蔡文邵注。

桓子新論十七卷　桓譚撰。

潛夫論十卷　王符注。

申鑒五卷　荀悅撰。

魏子三卷　魏朗注。

典論五卷　魏文帝撰。

徐氏中論六卷　徐幹撰。

去伐論集三卷　王粲撰。

杜氏體論四卷　杜恕撰。

顧子新語五卷　顧譚撰。

通語十卷　文禮撰,殷奧續。①

集誡二卷　諸葛亮撰。

典訓十卷　陸景撰。

譙子法訓八卷　譙周撰。

古今通論三卷　王嬰撰。

---

① "奧",中華本、《隋志》、《新志》均作"興"。

周生烈子五卷　周生子志。①

譙子五教五卷　譙周撰。

袁子正論二十卷　袁準撰。

袁子正書二十五卷　袁準撰。

孫氏成敗志三卷　孫毓撰。

新論十卷　夏侯湛撰。

物理論十六卷　楊泉撰。

太元經十四卷　楊泉撰,劉緝注。

新論十卷　華譚撰。

志林新書二十卷　虞喜撰。

後林新書十卷　虞喜撰。

顧子義訓十卷　顧夷撰。

清化經十卷　蔡洪撰。

正言十卷　干寶撰。②

要覽五卷　呂竦撰。

立言十卷　干寶撰。

正覽六卷　周捨撰。

缺文十卷　陸澄撰。

魯史欹器圖一卷　劉徽撰。

誡林三卷　綦毋氏撰。

家訓七卷　顏之推撰。

典言四卷　李若等撰。

墳典三十卷　盧辯撰。

中説五卷　王通撰。

---

① "子",殿本、中華本均作"烈"。
② "干",原作"于",殿本、中華本均作"干",今從。下"立言十卷"條亦然。

讀書記三十二卷　　王邵撰。

正訓二十卷　　辛德源志。

太宗序志一卷[①]　　太宗撰。

帝範四卷　　太宗撰，賈行注。

天訓四卷　　高宗天皇大帝撰。

紫樞要錄十卷　　太聖天后撰。[②]

青宮記要三十卷　　天后撰。

　少陽正範三十卷　　天后撰。

臣軌二卷　　天后撰。[③]

百僚新誡四卷　　天后撰。

春宮要錄十卷[④]

君臣相發起事三卷

修身要錄十卷　　並章懷太子撰。

百里昌言二卷　　王旁撰。[⑤]

崔子至言六卷　　崔靈撰。[⑥]

平臺童百一寓言三卷　　張大素撰。

女誡一卷　　曹大家撰。

内訓二十卷　　辛德源、王邵等撰。

女則要錄十卷　　文德皇后撰。

---

①　“一”，原脱。據殿本、中華本補。

②　“太”，中華本作“大”。

③　“天”，原誤作“太”，據殿本、中華本改。

④　此條及下條殿本、中華本均作“章懷太子撰”。案：下“修身要錄十卷”條作“並章懷太子撰”，蓋承上而云，故此二條省略。

⑤　“旁”，殿本、中華本、《新志》均作“溥”。

⑥　殿本、中華本、《新志》“靈”後均有“童”字。案：下條“平臺童百一寓言三卷”，殿本、中華本均無“童”字。則此條中“靈”後之“童”字蓋竄入下條也。

鳳樓新誡二十卷　武后撰。①

　　右儒家二十八部，凡七百七十六卷。

老子二卷　老子撰。

老子二卷　河上公注。②

老子章句二卷　安丘望之撰。

老子道德經指趣四卷　安丘望之撰。

老子二卷　湘注。

玄言新記道德二卷　王弼注。

老子二卷　鍾會注。

老子二卷　羊祜注。

老子二卷　程韶集注。

老子二卷　王尚注。

老子二卷　蜀才注。

老子二卷　孫登注。

老子二卷　袁真注。

老子二卷　張憑注。

老子二卷　鳩摩羅什注。

老子二卷　釋惠嚴注。

老子四卷　陶弘景注。

老子道德經品四卷　梁曠注。

老子二卷　樹鍾山注。

老子二卷　傅奕注。

————————

　　①　"武"，原作"張"。《校勘記》云："今考《武后紀》，述所撰之書，有《鳳樓新誡》二十卷，而《張后傳》不言曾撰此書。且《舊志》序云：'後出之書，在開元四部之外，此並不錄。'張后之立，在肅宗乾元元年。當開元九年輯四部書目時，肅宗年甫十一，張后恐尚未生。即使生，亦尚未入宮，斷無著書之理，然則'張'字爲'武'字之誤，無疑矣。"據改。

　　②　"河"，原誤作"何"，據殿本、中華本改。

老子二卷　　楊上善注。

老子集注四卷　　張道相集注。

老子二卷　　辟閭仁謂注。

老子二卷　　成玄英注。

老子二卷　　李允愿注。

老子二卷　　陳嗣古注。

老子二卷　　釋義盈注。

老子道德經集解四卷　　任真子注。

老子節解二卷

老子指歸十四卷　　嚴遵志。

老子指歸十三卷　　馮廓撰。

老子道德經序訣二卷　　葛洪撰。

老子道德簡要義五卷　　玄景先生注。

太上玄元皇帝道德經二卷　　楊上器撰。

太上老君玄元皇帝聖紀十卷　　尹父操撰。

老子章門一卷①

老子玄旨八卷　　韓莊撰。

老子玄譜一卷　　劉道人撰。

老子道德論二卷　　何晏撰。

老子指例略二卷

老子道德經義疏四卷　　顧歡撰。

老子解釋四卷　　羊祜撰。

老子義疏理綱一卷

老子講疏六卷　　梁武帝撰。

老子私記十卷　　梁簡文帝撰。

---

① 原脱"一卷"，據殿本、中華本補。

老子講疏四卷

老子義疏四卷　孟智周撰。

老子述義十卷　賈大隱撰。

老子道德指略論二卷　楊上善撰。

道德經三卷

略論三卷　楊上善撰。

老子西昇經一卷

老子黃庭經一卷

老子探真經一卷

老君科律一卷

老子宣時誡一卷

老子入室經一卷

老子華蓋觀天訣一卷

老子消水經一卷

老子神策百二十條經一卷

莊子一卷①　崔譔注。

又十卷　郭象注。

又二十卷　向秀注。

又二十一卷　司馬彪注。

莊子集解二十卷　李頤集解。

又二十卷　王玄古撰。

莊子十卷　楊上善撰。

莊子講疏三十卷　梁簡文撰。

莊子疏七卷

南華仙人莊子論三十卷　梁曠撰。

---

① "一"，殿本、中華本、《隋志》、《新志》均作"十"。

釋莊子論二卷　李充撰。

南華真人道德論三卷

莊子疏十卷　王穆撰。

莊子音一卷　王穆撰。

莊子文句義二十卷　陸德明撰。

莊子古今正義十卷　馮廓撰。

莊子疏十二卷　成玄英撰。

文子十二卷

鶡冠子三卷　鶡冠子撰。

列子八卷　列禦寇撰，張湛注。

廣成子十二卷　商洛公撰。

任子道論十卷　任嘏撰。

渾輿經一卷　姬威撰。

唐子十卷　唐滂撰。

蘇子七卷　蘇彥撰。

宣子二卷　宣聘撰。

陸子十卷　陸雲撰。

抱朴子內篇二十卷　葛洪撰。

孫子十二卷　孫綽撰。

顧道論士三卷①　顧谷撰。

幽求子三十卷　杜夷撰。

符子三十卷　符朗撰。

賀子十卷　賀道養撰。

真誥十卷　陶弘景撰。

無名子一卷　張太衡撰。

---

① 殿本、中華本此條均作"顧道士論二卷"。

養生要集十卷　張湛撰。

無上祕要七十二卷

玄書通義十卷　張機撰。

道要三十卷

登真隱訣二十五卷　陶弘景撰。

同光子八卷　劉無待撰，侯儼注。

牟子二卷　牟融撰。

淨住子二十卷　蕭子良撰，王融頌。

統略淨住子二卷　釋道宣撰。

法苑十五卷　釋僧祐撰。

內典博要三十卷　虞孝景撰。

真言要集十卷　釋賢明撰。

歷代三寶記三卷

修多羅法門二十卷　郭瑜撰。

集古今佛道論衡四卷　釋道宣撰。

六趣論六卷　楊上善撰。

十門辯惑論二卷　釋復禮志。

經論纂要十卷　駱子義撰。

通惑決疑錄二卷　釋道宣撰。

夷夏論二卷　顧歡撰。

笑道論三卷　甄鸞撰。

齊三教論七卷　衞元嵩撰。

辯正論八卷　釋法琳撰。

破邪論三卷　釋法琳撰。

三教詮衡十卷　楊上善撰。

甄正論三卷　　杜又撰。①

心鏡論十卷　　李思慎撰。

崇正論六卷　　釋彥琮撰。

　　右道家一百二十五部，老子六十一家，莊子十七家，道釋諸
　　説四十七家，凡九百六十卷。

管子十八卷　　管夷吾撰。

商子五卷　　商鞅撰。

慎子十卷　　慎到撰，滕輔注。

申子三卷　　申不害撰。

韓子二十卷　　韓非撰。

晁氏新書三卷　　晁錯撰。

崔氏政論五卷　　崔寔撰。

劉氏法言十卷　　劉邵撰。

劉氏正論五卷　　劉廙撰。

阮子政論五卷②　　阮武撰。

桓氏代要論十卷　　桓範撰。

陳子要言十四卷　　陳融撰。

治道集十卷　　李文博撰。

春秋決獄十卷　　董仲舒撰。

五經折疑三十卷③　　邯鄲綽撰。

　　右法家十五部，凡一百五十八卷。

鄧析子一卷　　鄧析撰。

---

　　①　“又”，殿本、中華本、《新志》均作“乂”。《校勘記》云：“晉有杜乂，而杜又他無
可考，且‘又’字亦不似人名”。

　　②　“政”，殿本、中華本、《隋志》均作“正”。

　　③　“折”，殿本、中華本、《新志》均作“析”。

尹文子二卷　　尹文子撰。

公孫龍子三卷　　公孫龍撰。

又一卷　　賈大隱注。

又一卷　　陣嗣古注。

人物志三卷　　劉邵撰。

又三卷　　劉邵撰，劉炳注。

士緯十卷　　姚信撰。

士操一卷　　魏文帝撰。

九州人士論一卷　　盧毓撰。

兼名苑十卷　　釋遠年撰。

辯名苑十卷　　范謐撰。

　　右名家十二部，凡五十六卷。

墨子十五卷　　墨翟撰。

胡非子一卷　　胡非子撰。

　　右墨家三部，①凡一十六卷。

鬼谷子二卷　　蘇秦撰。

又三卷　　樂臺撰。

又三卷　　尹知章注。

補闕子十卷　　梁元帝撰。

　　右縱橫家四部，凡十八卷。

尸子二十卷　　尸佼撰。

尉繚子六卷　　尉繚子撰。

---

　　① "三"，殿本、中華本均作"二"。案：本志墨家類實錄二部，則"三"似爲"二"之訛；然《隋志》、《新志》均另錄有《隋巢子》一卷，則上文或脫此條。

吕氏春秋二十六卷　吕不韋撰。

淮南商誌二十一卷　劉安撰。

淮南子注解二十一卷　高誘撰。

淮南鴻烈音二卷　高誘撰。

三將軍論一卷　嚴尤撰。

論衡三十卷　王充撰。

風俗通義三十卷　應劭撰。

仲長子昌言十卷　仲長統撰。

萬機論八卷　蔣濟撰。

篤論四卷　杜恕撰。

芻蕘論五卷　鍾會撰。

傅子一百二十卷　傅玄撰。

默記三卷　張儼撰。

新言五卷　裴玄撰。

新義十八卷　劉欽撰。

秦子三卷　秦菁撰。

誓論三十卷　張儼撰。

說林五卷　孔衍撰。

又二十卷　張大素撰。

抱朴子外篇五十卷　葛洪撰。

時務論十二卷　楊偉撰。

古今善言三十卷　范泰撰。

記聞三卷　徐益壽撰。

何子五卷　何楷撰。

劉子十卷　劉勰撰。

金樓子十卷　梁元帝撰。

語麗十卷　朱澹遠撰。

袖中記一卷

要覽三卷　<small>陸士衡撰。</small>

古今注五卷　<small>崔豹撰。</small>

採璧記三卷　<small>庾肩吾撰。</small>

新略十卷　<small>韋道孫撰。</small>

名數十卷　<small>徐陵撰。</small>

典墳數十卷　<small>范謐撰。</small>

荆楚歲時記十卷　<small>宗凛撰。①</small>

又二卷　<small>杜公瞻撰。</small>

玉燭寶典十二卷　<small>杜臺卿撰。</small>

四時録十二卷　<small>王氏撰。</small>

物始十卷　<small>謝昊撰。</small>

事始三卷　<small>劉孝孫撰。</small>

古今辯作録三卷

文章始一卷　<small>任昉撰，張績補。</small>

續文章始一卷　<small>姚察撰。</small>

戚苑纂要十卷　<small>劉楊名撰。</small>

張掖郡玄石圖一卷　<small>孟衆撰。</small>

瑞應圖記二卷　<small>孫柔之撰。</small>

張掖郡玄石圖一卷　<small>高堂撰。②</small>

瑞應圖讚三卷　<small>熊理撰。</small>

祥瑞圖十卷

符瑞圖十卷　<small>顧野王撰。</small>

皇隋靈感志十卷　<small>王邵撰。</small>

皇隋瑞文十四卷　<small>許善心撰。</small>

---

①　"凛"，殿本、中華本均作"懍"。

②　"卷"下原衍"卷"字，據殿本、中華本、《新志》删。殿本、中華本、《新志》"堂"下均有"隆"字。

諫林十卷　　何望之撰。

善諫二卷　　虞通之撰。

諫事五卷　　魏徵撰。

諫苑三十卷　　于志寧撰。

子林二十卷　　孟儀撰。

子鈔三十卷　　沈約撰。

又三十卷　　庾仲容撰。①

子林三十卷　　薛克構撰。②

述正論十三卷　　陸澄撰。

博覽十五卷

文府七卷　　徐陵撰，宗道寧注。

翰墨林十卷

群書理要五十卷　　魏徵撰。

麟閣詞英六十卷　　高宗敕撰。

四部言心十卷　　劉守敬撰。

　　右雜家七十一部，凡九百八十二卷。

氾勝之書二卷　　氾勝之撰。

四民月令一卷　　崔寔撰。

齊民要術十卷　　賈思協撰。

竹譜一卷　　戴凱之撰。

錢譜一卷　　顧烜撰。

禁苑實錄一卷

種植法七十七卷　　諸葛穎撰。

兆人本業三卷　　天后撰。

相鶴經一卷　　浮丘公撰。

鷙擊録二十卷　　堯須跋撰。

鷹經一卷

蠶經一卷

相鶴經一卷　　伯鑾撰。[①]

又三卷[②]

又二卷　　徐成等撰。

相馬經六十卷　　諸葛穎等撰。

相牛經一卷　　寧戚撰。

相貝經一卷

養魚經一卷　　范蠡撰。

　　右農家二十部，凡一百九十二卷。

鬻子一卷　　鬻熊撰。

燕丹子三卷　　燕太子撰。

笑林三卷　　邯鄲淳撰。

博物志十卷　　張華撰。

郭子三卷　　郭澄之撰，賈泉注。

世説八卷　　劉義慶撰。

續世説十卷　　劉孝標撰。

小説十卷　　劉義慶撰。

小説十卷　　殷芸撰。

釋俗語八卷　　劉霽撰。[③]

辨林二十卷　　蕭賁撰。

---

①　“鶴”，殿本、中華本、《新志》均作“馬”；“鑾”，中華本、《新志》均作“樂”。

②　“三”，殿本、中華本均作“二”。

③　“霽”，原誤作“齊”。《梁書·劉霽传》云：“霽……著《釋俗語》八卷”。據改。

酒孝經一卷　_{劉炫定撰。}

座右方三卷　_{庾元威撰。}

啓顏録十卷　_{侯白撰。}

　　右小説家十三部，凡九十卷。

周髀一卷　_{趙嬰注。}

又一卷　_{甄鸞注。}

又二卷　_{李淳風撰。}

靈憲圖一卷　_{張衡撰。}

渾天儀一卷　_{張衡撰。}

渾天象注一卷　_{王蕃撰。}

昕天論一卷　_{姚信撰。}

石氏星經簿贊一卷　_{石申甫撰。}

安天論一卷　_{虞喜撰。}

甘氏四七法一卷　_{甘德撰。}

論二十八宿度數一卷

荆州星占二卷　_{劉表撰。}

又二十卷　_{劉叡撰。}

天文集占七卷　_{陳卓撰。}

四方星占一卷　_{陳卓撰。}

五星占二卷　_{陳卓撰。}

天文集占三卷

天文録三十卷　_{祖暅之撰。}

天文横圖一卷　_{高文洪撰。}

天文雜占一卷　_{吳雲撰。}

星占三十三卷　_{孫僧化撰。}

十二次二十八宿星占十二卷　_{史崇撰。}

乙巳占十卷　_{李淳風撰。}

靈壹祕苑一百二十卷　庾季才撰。

玄機內事七卷　逢行珪撰。

　　右天文二十六家，凡二百六十卷。

三統曆一卷　劉歆撰。

乾象曆三卷　闞澤注，闞洋撰。

魏景初曆三卷　楊偉撰。

四分曆一卷

乾象曆術三卷　劉洪撰。

乾象曆三卷

宋元嘉曆二卷　何承天撰。

梁大同曆一卷　虞剻撰。

後魏永安曆一卷　孫僧化撰。

後魏武定曆一卷

北齊天保曆一卷　宋景業撰。

周天象曆二卷　王琛撰。

隋開皇曆一卷　劉孝孫撰。

又一卷　李德林撰。

隋大業曆一卷　張冑玄撰。

皇極曆一卷　劉焯撰。

又一卷　李淳風撰。

河西壬辰元曆一卷　趙𢾺撰。

河西甲寅元曆一卷　李淳風撰。

大唐麟德曆一卷

大唐光宅曆草十卷

周甲子元曆一卷

齊甲子曆一卷

大唐甲子元辰曆一卷　瞿曇撰。

大唐戊寅曆一卷

陳七曜曆五卷　吳伯善撰。

七曜本起曆二卷

七曜曆算二卷　甄鸞撰。

七曜雜術二卷　劉孝孫撰。

七曜曆疏三卷　張冑玄撰。

曆疏一卷　崔浩撰。

曆術一卷　甄鸞撰。

玄曆術一卷　張冑玄撰。

刻漏經一卷　何承天撰。

又一卷　朱史撰。

又一卷　宋景撰。

大唐刻漏經一卷

九章算經一卷　徐岳撰。

九章重差一卷　劉向撰。

九章重差圖一卷　劉徽撰。

九章算經九卷　甄鸞撰。

九章雜算文二卷　劉祐撰。

九章術疏九卷　宋泉之撰。

五曹算經五卷　甄鸞撰。

孫子算經三卷　甄鸞撰注。

海島算經一卷　劉徽撰。①

張徵丘建算經一卷　②甄鸞撰。

夏侯陽算經三卷　甄鸞注。

數術記遺一卷　徐岳撰，甄鸞注。

---

①　"徵"，中華本、《新志》均作"徽"。

②　"徵"，殿本、中華本、《新志》均無。疑上條中"徵"字原作"徽"，而竄入此處也。

三等數一卷　　董泉撰，甄氏注。①

算經要用百法一卷　　徐岳撰。

綴術五卷　　祖冲之撰，李淳風注。

五曹算經三卷　　甄鸞撰。②

七經算術通義七卷　　陰景愉撰。

緝古算術四卷　　王孝通撰，李淳風注。③

算經表序一卷

　　右曆算五十八部，凡一百六十七卷。

黃帝問玄女法三卷　　玄女撰。

太公陰謀三卷

太公金匱二卷

太公六韜六卷

司馬法三卷　　田穰苴撰。

孫子兵法十三卷　　孫武撰，魏武帝注。

又二卷　　孟氏解。

又二卷　　沈友注。

黃石公三略三卷

三略訓三卷

張良經一卷　　張良撰。

雜兵法二十四卷

兵書接要七卷④　　魏武帝撰。

---

　　①　"氏"，中華本、《新志》均作"鸞"。

　　②　《校勘記》云："甄鸞所注《五曹算經》五卷，已見於上文，則此處三卷之書必非甄鸞所撰。"

　　③　"注"，原誤作"撰"，殿文、本華本、《新志》均作"注"。案：前文已云"王孝通撰"，則此處當訛，據改。

　　④　"書接"，殿本、中華本均作"法捷"。

兵書要略十卷　魏文帝撰。

兵記十二卷　司馬彪撰。

兵林六卷　孔衍撰。

玉韜十卷　梁元帝撰。

真人水鏡十卷　陶弘景撰。

握鏡一卷　陶弘景撰。

兵書要略十卷　宇文憲撰。

太一兵法一卷

太公陰謀三十六用卷一

伍子胥兵法一卷

吳孫子三十二壘經一卷

玉帳經一卷

黃石公陰謀乘斗魁剛行軍祕一卷

武德圖五兵八陣法要一卷

三陰圖一卷

黃帝太公三宮法要訣一卷

張氏七篇七卷　張良撰。

承神兵書八卷

兵機十五卷

兵書要略一卷

新授兵書三十卷　隋高祖撰。

六軍鏡三卷　李靖撰。

用兵撮要二卷

兵春秋一卷

許子新書軍勝十卷

金海四十七卷　蕭吉撰。

王佐祕珠五卷　樂産撰。

金韜十卷　劉祐撰。

懸鏡十卷　<small>李淳風撰。</small>

龍武玄兵圖二卷　<small>解忠鯁撰。</small>

臨戎孝經二卷　<small>員半千撰。</small>

　　右兵書四十五部，凡二百八十九卷。

焦氏周易林十六卷　<small>焦贛撰。</small>

京氏周易四時候二卷

京氏周易飛候六卷

京氏周易混沌四卷

京氏周易錯卦八卷　<small>京房撰。</small>

費氏周易林二卷　<small>費直撰。</small>

崔氏周易林十六卷

許氏周易雜占七卷　<small>許峻撰。</small>

周易參同契二卷　<small>魏伯陽撰。</small>

周易五相類一卷　<small>魏伯陽撰。</small>

周易林四卷　<small>管輅撰。</small>

周易雜占八卷　<small>尚廣撰。</small>

徐氏周易筮占二十四卷　<small>徐苗撰。</small>

周易立成占六卷

武氏周易雜占八卷　<small>武氏撰。</small>

周易集林十二卷　<small>伏曼容撰。</small>

又一卷　<small>伏氏撰。</small>

連山三十卷　<small>梁元帝撰。</small>

易林十四卷

新易林占三卷　<small>杜氏撰。</small>

周易雜占筮決文二卷　<small>梁運撰。</small>

周易新林一卷

周易林七卷　張滿撰。

易律曆一卷

周易服藥法一卷

周易洞林解三百卷^①　郭璞撰。

洞林三卷　梁元帝撰。

易三備三卷

又一卷

易髓一卷

易腦一卷　郭氏撰。

孝經元辰二卷

推元辰厄命一卷

元辰章三卷

六甲周天曆一卷　孫僧化作。

風角要候一卷　翼奉撰。

風角六情訣一卷　王琛撰。

風角十卷

風角鳥情二卷　劉孝恭撰。

鳥情占一卷

鳥情逆占一卷　管輅撰。

九宮經解二卷

九宮行碁經三卷　鄭玄撰。

九宮行碁立成一卷　王琛撰。

逆刺三卷　京房撰。

婚嫁書二卷

推產婦何時產法一卷　王琛撰。

---

① “百”，殿本、中華本、《隋志》《新志》均無，《隋志》此條又無“周”字。

産圖一卷　崔知悌撰。

登壇經一卷

太一大遊曆二卷

大遊太一曆一卷

曜靈經一卷

七政曆一卷

六壬曆一卷

靈寶登圖一卷①

推二十四氣曆一卷

太一曆一卷

式經一卷　宋琨撰。

九旗飛變一卷　鄭玄撰，李淳風註。

太史公萬歲曆一卷　司馬談撰。

萬歲曆祠二卷

千歲曆祠二卷　任氏撰。

黃帝飛鳥曆一卷　張衡撰。

太乙飛鳥曆一卷

堪輿曆注二卷

黃帝四序堪輿二卷　殷紹撰。

遁甲經一卷

遁甲文一卷　伍子胥撰。

遁甲囊中經一卷

三元遁甲圖三卷　葛洪撰。

遁甲萬一訣三卷

遁甲立成圖二卷

———————

①　"一卷"，原脱，據殿本、中華本、《新志》補。

遁甲立成法三卷

遁甲九宮八門圖一卷

遁甲開山圖一卷　　王琛撰。

又二卷　　榮氏撰。

白澤圖一卷

武王須臾二卷

師曠占書一卷

東方朔占書一卷

范子問計然十五卷　　范蠡問，計然答。

淮南王萬畢術一卷　　劉安撰。

神樞靈轄十卷　　樂産撰。

禄命書二十卷　　劉孝恭撰。

又二卷　　王琛撰。

五行記五卷　　蕭吉撰。

五姓宅經二卷

陰陽書五十卷　　呂才撰。

青烏子三卷

葬經八卷

又十卷

又二卷　　蕭吉撰。

葬書地脉經一卷

墓書五陰一卷

雜墓圖一卷

墓圖立成一卷

六甲冢名雜忌要訣二卷

五姓墓圖要訣五卷　　孫氏撰。

壇中伏尸一卷

玄女彈五音法相冢經一卷　胡君撰。

新撰陰陽書三十卷　王粲撰。

龜經三卷　柳彥詢撰。

又一卷　劉寶真撰。

又一卷　王弘禮撰。

又一卷　莊道名撰。

又一卷　孫思邈撰。

百怪書一卷

祠竈經一卷

解文一卷

占夢書二卷

又三卷　周宣撰。

玄悟經三卷　李淳風撰。

　　右五行一百一十三部，凡四百八十五卷。

投壺經一卷　郝冲、虞譚法撰。

大小博法二卷

皇博經一卷　魏文帝撰。

太博經行碁戲法二卷

小博經一卷　鮑宏撰。

博塞經一卷　鮑宏撰。

二儀簿經一卷　隋煬帝撰。

大博經二卷　呂才撰。

碁勢六卷

碁品五卷　范汪等注。

圍碁後九品序錄一卷

竹苑仙碁圖一卷

碁評一卷　梁武帝撰。

象經一卷　周武帝撰。

又一卷　何妥撰。

又一卷　王裕注。

今古術藝十五卷

右雜藝術一十八部，凡四十四卷。

皇覽一百二十二卷　何承天撰。

又八十四卷　徐爰并合。

類苑一百二十卷　劉孝標撰。

壽光書苑二百卷　劉杳撰。

華林編略六百卷　徐勉撰。

修文殿御覽三百六十卷

長洲玉鏡一百三十八卷　虞綽等撰。

藝文類聚一百卷　歐陽詢等撰。

書抄一百七十三卷①　虞世南撰。

要録六十卷

書圖泉海七十卷　張氏撰。

檢事書一百六十卷

帝王要覽二十卷

玉藻瓊林一百卷　孟利貞撰。

玄覽一百卷　天后撰。

累璧四百卷　許敬宗撰。

碧玉芳林四百五十卷　孟利貞撰。

策府五百八十二卷　張大素撰。

玄門寶海一百二十卷　諸葛穎撰。

---

① 殿本、中華本、《新志》“書”前均有“北堂”二字。《校勘記》云：“今此書尚存，其名亦有‘北堂’二字。蓋北堂者，隋祕書省之後堂，虞世南作此書時犹未入唐也。”

文思博要并目一千二百一十二卷　張大素撰。
三教珠英并目一千三百一十三卷　張昌宗等撰。
　　右類事二十二部，凡七千八十四卷。

黃帝三部針經十三卷　皇甫謐撰。
黃帝八十一難經一卷　秦越人撰。
赤烏神針經一卷　張子存撰。
黃帝明堂經三卷。
皇帝鍼灸經十二卷
明堂圖三卷　秦承祖撰。
龍御素針經并孔穴蝦蟇圖三卷
黃帝素問八卷
黃帝內經明堂十三卷
黃帝雜注針經一卷
黃帝十二經脈明堂五藏圖一卷
黃帝十二經明堂偃側人圖十二卷
黃帝針經十卷
黃帝明堂三卷
黃帝九靈經十二卷　靈寶注。
玉匱針經十二卷
皇帝內經太素三十卷　楊上善撰。①
三部四時五藏辨候診色脉經一卷
黃帝內經明堂類成十三卷　楊上善撰。
黃帝明堂經三卷　楊玄孫撰注。
灸經一卷
鈴和子十卷　賈和光撰。

───────────

① "撰"，殿本、中華本均作"注"。

脉經訣三卷　　徐氏撰。

脉經二卷

五藏訣一卷

五藏論一卷

　　右明堂經脉二十六家，凡一百七十三卷。

神農本草三卷

桐君藥録三卷　　桐君撰。

雷公藥對二卷

藥類二卷

本草用藥要妙二卷

本草病源合藥節度五卷

本草要術三卷

本草藥性三卷　　甄立言撰。

療癲疽耳眼本草要妙五卷

種芝經九卷

芝草圖一卷

呂氏本草因六卷　　吳普撰。

李氏本草三卷

名醫別録三卷

藥目要用二卷

本草集經七卷　　陶弘景撰。

靈秀本草圖六卷　　原平仲撰。

諸藥異名十卷　　釋行智撰。

四時採取諸藥及合和四卷

本草圖經七卷　　蘇敬撰。

新修本草二十一卷　　蘇敬撰。

新修本草圖一十六卷　<small>蘇敬等撰。</small>

本草音三卷　<small>蘇敬等撰。</small>

本草音義二卷　<small>殷子嚴撰。</small>

太清神丹中經三卷

太清神仙服食經五卷

又一卷　<small>抱朴子撰。</small>

太清璿璣文七卷　<small>冲和子撰。</small>

金匱仙藥錄三卷　<small>京里先生撰。</small>

神仙服食經十二卷　<small>京里先生撰。</small>

太清諸丹要錄集四卷

神仙藥食經一卷

神仙服食方十卷

神仙服食藥方十卷

服玉法并禁忌一卷

太清諸草木方集要三卷

太清玉石丹藥要集三卷　<small>陶弘景撰。</small>

太一鐵胤神丹方三卷　<small>蘇遊撰。</small>

養生要集十卷　<small>張湛撰。</small>

補養方三卷　<small>孟詵撰。</small>

諸病源候論五十卷　<small>吳景撰。</small>

四海類聚單方十六卷　<small>隋煬帝撰。</small>

太官食法一卷

太官食方十九卷

食經九卷　<small>崔浩撰。</small>

又十卷

又四卷　<small>竺暄撰。</small>

四時食法一卷　<small>趙氏撰。</small>

淮南王食經一百二十卷　　諸葛潁撰。①

淮南王食目十卷

淮南王食經音十三卷　　諸葛潁撰。

食經三卷　　盧仁宗撰。

張仲景藥方十五卷　　王叔和撰。

華氏藥方十卷　　華佗方，吳普集。

肘後救卒方四卷　　葛洪撰。

補肘後救卒備急方六卷　　陶弘景撰。

阮河南方十六卷　　阮炳撰。

雜藥方一百七十卷　　范汪方，尹穆撰。

胡居士方三卷　　胡洽撰。

劉涓子南方十卷　　龔慶宣撰。

療癰疽金瘡要方十四卷　　甘濬之撰。

雜療方二十卷　　徐叔和撰。

體療雜病方六卷　　徐叔和撰。

腳弱方八卷　　徐叔向撰。

藥方十七卷　　秦承祖撰。

療癰疽金瘡要方十二卷　　甘伯齊撰。

雜藥方十二卷　　褚澄撰。

效驗方十卷　　陶弘景撰。

百病膏方十卷

雜湯方八卷

療目方五卷

雜藥方十卷　　陳山提撰。

又六卷

---

① “潁”，殿本、中華本均作“穎”。下“淮南王食經音十三卷”條同。

雜丸方一卷

調氣方一卷　　釋鸞撰。

黃素方十五卷

雜湯丸散方五十七卷　　孝思撰。

僧深集方三十卷　　釋僧深撰。

刪繁方十二卷　　謝士太撰。

徐王八代效驗方十卷　　徐之才撰。

徐氏落年方三卷　　徐嗣伯撰。

雜病論一卷　　徐嗣伯撰。

徐氏家祕方二卷　　徐之才撰。

集驗方十卷　　姚僧垣撰。

小品方十二卷　　陳延之撰。

經心方八卷　　宋使撰。

名醫集驗方三卷

古今錄驗方五十卷　　甄權撰。①

崔氏纂要方十卷　　崔知悌撰。

孟氏必效方十卷　　孟詵撰。

延年祕錄十二卷

玄感傳屍方一卷　　蘇遊撰。

骨蒸病灸方一卷　　崔知悌撰。

寒食散方并消息節度二卷

解寒食散方十三卷　　徐叔和撰。

婦人方十卷

又二十卷

少小方十卷

---

①　“撰”，原脱，據殿本、中華本補。

少小雜方二十卷

少小節療方一卷 俞寶撰。

狐子雜訣三卷

狐子方金訣二卷 葛仙公撰。

陵陽子祕訣一卷 明月公撰。

神臨藥祕經一卷 黃公撰。

黃白祕法一卷

又二十卷

玉房祕術一卷 葛氏撰。

□房秘録訣八卷① 冲和子撰。

類衆方二千六百卷②

右醫術本草二十五家，養生十六家，病源單方二家，食經十
家，雜經方五十八家，類聚方一家，共一百一十家，凡三千
七百八十九卷。

丁部集録，三類，共八百九十部書，一萬二千二十八卷。

楚詞類一　別集類二　總集類三

楚詞十六卷 王逸注。③

楚詞十卷 郭璞注。④

楚詞九悼一卷 楊穆撰。

離騷草木蟲魚疏二卷 劉杳撰。

楚詞音一卷 孟奥撰。

楚詞音一卷 徐邈撰。

---

① "□"，中華本作"玉"。
② "衆"，中華本作"聚"。
③ "注"，原誤作"撰"，據殿本、中華本、《隋志》、《新志》改。
④ "注"，原誤作"撰"，據殿本、中華本、《隋志》、《新志》改。

楚詞音一卷　　釋道騫撰。

漢武帝集二卷

魏武帝集三十卷

魏文帝集十卷

魏明帝集十卷

魏高貴鄉公集二卷

晉宣帝集十卷

晉文帝集一卷

晉明帝集五卷

晉簡文帝集五卷

宋武帝集二十卷

宋文帝集十卷

梁文帝集十八卷

梁武帝集十卷

梁簡文帝集八十卷

梁元帝集五十卷

梁元帝集十卷

後魏明帝集一卷

後魏文帝集四十卷

後周明帝集一卷①

陳後主集五十卷

隋煬帝集三十卷

太宗文皇帝集三十卷

高宗大帝集八十六卷

中宗皇帝集四十卷

睿宗皇帝集十卷

---

① "一"，殿本、中華本均作"十"，《隋志》作"九"，《新志》作"五十"。

垂拱集一百卷

金輪集十卷　　太后撰。①

梁昭明太子集二十卷

漢淮南王集二卷

漢東平王集二卷

魏陳思王集二十卷

魏陳思王集三十卷

晋齊王集二卷

晋會稽王集八卷

晋彭城王集八卷

晋譙王集三卷

宋長沙王集十卷

宋臨川王集八卷

宋衡陽王集十卷

宋江夏王集十三卷

宋南平王集五卷

宋建平王集十卷

宋建平王小集十五卷

齊竟陵王集三十卷

梁邵平王集四卷②

梁武陵王集八卷

後周趙王集十卷

後周滕王集十二卷

---

① "太",殿本、中華本均作"天"。

② "平",中華本作"陵"。《隋志》此條作"梁邵陵王綸集六卷",《新志》與《隋志》同,惟"六"作"四"。

趙荀況集二卷

楚宋玉集二卷

前漢賈誼集二卷

枚乘集二卷

司馬遷集二卷

東方朔集二卷

董仲舒集二卷

李陵集二卷

司馬相如集二卷

孔臧集二卷

魏相集二卷

張敞集二卷

韋玄成集二卷

劉向集五卷

王褒集五卷

谷永集五卷

杜鄴集五卷

師丹集五卷

息夫躬集五卷

劉歆集五卷

楊雄集五卷

崔篆集一卷

後漢桓譚集二卷

史岑集二卷

王文山集二卷

朱勃集二卷

梁鴻集二卷

黃香集二卷

馮衍集五卷

班彪集二卷

杜篤集五卷

傅毅集五卷

班固集十卷

崔駰集十卷

賈逵集二卷

劉騊駼集二卷

崔瑗集五卷

蘇順集二卷

竇章集二卷

胡廣集二卷

高彪集二卷

王逸集二卷

桓驎集二卷

邊韶集二卷

皇甫規集五卷

張奐集二卷

朱穆集二卷

趙壹集二卷

張升集二卷

侯瑾集二卷

酈炎集二卷

盧植集二卷

劉珍集二卷

張衡集十卷

葛龔集五卷

李固集十卷

馬融集五卷

崔琦集二卷

延篤集二卷

劉陶集二卷

荀爽集二卷

劉梁集二卷

鄭玄集二卷

蔡邕集二十卷

應劭集四卷

士孫瑞集二卷

張邵集五卷①

禰衡集二卷

孔融集十卷

虞翻集三卷

潘勗集二卷

阮瑀集五卷

陳琳集十卷

張紘集一卷

繁欽集十卷

楊脩集二卷

王粲集十卷

魏華歆集二十卷

王朗集三十卷

_____

① "邵"，中華本作"劭"。

邯鄲淳集二卷

袁渙集五卷

應瑒集二卷

徐幹集五卷

劉楨集二卷

路粹集二卷

丁儀集二卷

丁廙集二卷

吳質集五卷

劉廙集二卷

孟逴集三卷①

陳群集三卷

王脩集三卷

管寧集二卷

劉邵集二卷

麋元集五卷

李康集二卷

孫該集二卷

卞蘭集二卷

傅巽集二卷

高堂隆集十卷

繆襲集五卷

殷褒集二卷

韋誕集三卷

曹羲集五卷

---

① “逴”，殿本、中華本均作“逹”。

傅嘏集二卷

桓範集二卷

夏侯霸集二卷

鍾毓集五卷

江奉集二卷

夏侯惠集二卷

毋丘儉集二卷

王弼集五卷

呂安集二卷

王昶集五卷

王肅集五卷

何晏集十卷

應璩集十卷

杜摯集一卷

夏侯玄集二卷

程曉集二卷

阮籍集五卷

嵇康集十五卷

鍾會集十卷

蜀許靖集二卷

諸葛亮集二十四卷

吳張溫集五卷

士燮集五卷　　①

駱統集十卷

暨豔集二卷

---

① "燮"，殿本、中華本均作"爕"。

謝承集四卷

姚信集十卷

楊厚集二卷

華嶠集三卷

胡綜集二卷

薛綜集二卷

張儼集二卷

韋昭集二卷

紀隲集三卷

晉王沉集五卷

鄭袤集二卷

應貞集五卷

嵇喜集二卷

傅玄集五十卷

成公綏集十卷

裴秀集三卷

何禎集五卷

袁準集二卷

山濤集五卷

向秀集二卷

阮沖集二卷

阮侃集五卷

羊祜集二卷

賈充集二卷

荀勖集二十卷

杜預集二十卷

王濬集二卷

皇甫謐集二卷

程咸集二卷

劉毅集二卷

庾峻集三卷

郤正集一卷

薛瑩集二卷

楊泉集二卷

陶濬集二卷

宣聘集三卷

曹志集二卷

鄒湛集四卷

孫毓集二卷

王渾集五卷

王深集四卷

江偉集五卷

閔鴻集二卷

裴楷集二卷

何劭集二卷

劉頌集三卷

劉寔集二卷

裴頠集十卷

許孟集二卷

王祜集二卷

王濟集二卷

華嶠集一卷

庾儵集三卷

謝衡集二卷

傅咸集三十卷

棗據集二卷

劉寶集三卷

孫楚集十卷

王讚集三卷

夏侯湛集十卷

夏侯淳集十卷

張敏集二卷

劉訏集二卷

李重集二卷

樂廣集二卷

阮渾集二卷

楊乂集三卷

張華集十卷

李虔集十卷

石崇集五卷

潘岳集十卷

潘尼集十卷

歐陽建集二卷

嵇紹集二卷

衛展集四十卷

盧播集二卷

欒肇集二卷

應亨集二卷

司馬彪集三卷

杜育集二卷

摯虞集二卷

繆徵集二卷

左思集五卷

夏侯靖集二卷

鄭豐集二卷

陳略集二卷

張翰集二卷

陸機集十五卷

陸雲集十卷

陸冲集二卷

孫極集二卷

張載集三卷

張協集二卷

束皙集五卷

華譚集二卷

曹攄集二卷

江統集十卷

胡濟集五卷

卞粹集二卷

閭丘冲集二卷

庾敳集二卷

阮瞻集二卷

阮循集二卷

裴邈集二卷

郭象集五卷

嵇合集十卷

孫惠集十卷

蔡洪集三卷

牽秀集五卷

蔡克集二卷

索靖集二卷

閭纂集二卷

張輔集二卷

殷巨集二卷

陶佐集五卷

仲長敖集二卷

虞溥集二卷

吳商集五卷

劉弘集三卷

山簡集二卷

宗岱集三卷

王曠集五卷

王峻集二卷

棗腆集二卷

棗嵩集二卷

劉琨集十卷

盧諶集十卷①

傅暢集五卷

東晉顧榮集二卷

荀組集二卷

周顗集二卷

周嵩集三卷

---

① "諶",原作"謀",殿本、中華本、《隋志》、《新志》均作"諶"。《晋書·盧諶傳》云："諶……撰《祭法》,注《莊子》,及文集,皆行於世。"據改。

王道集十卷①

荀遂集二卷②

王敦集五卷

謝鯤集二卷

張抗集二卷

賈霖集三卷

劉隗集三卷

應詹集三卷

陶侃集二卷

王洽集三卷

傅毅集五卷

張闓集三卷

卞壺集二卷

劉超集二卷

楊方集二卷

傅純集二卷

郗鑒集十卷③

温嶠集十卷

孔坦集五卷

王濤集五卷

王篾集五卷

甄述集五卷

戴邈集五卷

---

① "道"，中华本、《隋志》、《新志》均作"導"。

② "遂"，中華本、《隋志》、《新志》均作"遼"。

③ "郗"，中華本、《隋志》、《新志》均作"郤"。

賀循集二十卷

張悛集二卷①

曾瓚集五卷

熊遠集五卷

郭璞集十卷

王鑒集五卷

庾亮集二十卷

虞預集十卷

顧和集五卷

范宣集十卷

張虞集五卷

庾冰集二十卷

庾翼集二十卷

何充集五卷

諸葛恢集五卷

祖台之集十五卷

李充集十四卷

蔡謨集十卷

謝艾集八卷

范汪集八卷

范寧集十五卷

阮放集五卷

王廙集十卷

王彪之集二十卷

謝安集五卷

---

① "悛"，中華本作"俊"。

謝方集十卷^①

王羲之集五卷

干寶集四卷

殷融集十卷

劉遐集五卷

殷浩集五卷

劉倓集二卷

王濛集五卷

謝尚集五卷

張馮集五卷

張望集三卷

韓康伯集五卷

王胡之集五卷

江霖集五卷

范宣集五卷

江淳集五卷

王述集五卷

郝默集五卷

黄整集十卷

王浹集二卷

王度集五卷

劉系之集五卷

劉恢集五卷

范起集五卷

————————

①　“方”，中華本、《隋志》、《新志》均作“萬”。《校勘記》云：“考《晉書》止有謝萬而無謝方，蓋傳寫者省‘萬’爲‘万’，遂訛爲‘方’耳。”

殷康集五卷

孫嗣集三卷

王坦之集五卷

桓溫集二十卷

郄超集十五卷①

謝朗集五卷

謝玄集十卷

王珣集十卷

許詢集三卷

孫統集五卷

孫綽集十五卷

孔嚴集五卷

江逌集五卷

車灌集五卷

丁纂集二卷

曹毗集十五卷

蔡系集二卷

李顒集十卷

顧夷集五卷

袁喬集五卷

謝沉集五卷

庾闡集十卷

王隱集十卷

殷允集十卷

徐邈集八卷

---

① "郄",中華本、《新志》均作"郗"。

殷仲湛集十卷①

殷叔獻集三卷

伏滔集五卷

桓嗣集五卷

習鑿齒集五卷

鈕滔集五卷

邵毅集五卷

孫盛集十卷

袁質集二卷

袁宏集二十卷

袁紹集三卷②

羅含集三卷

孫放集十五卷

辛昞集四卷

庾統集二卷

郭愔集五卷

滕輔集五卷

庾龢集二卷

庾軌集二卷

庾蒨集二卷

庾蕭之集十卷

王脩集二卷

戴逵集十卷

桓玄集二十卷

---

① "湛"，殿本、中華本、《隋志》、《新志》均作"堪"。

② "紹"，中華本、《新志》均作"邵"。《隋志》作"太宰從事中郎袁紹集五卷"。

殷仲文集七卷

卞湛集五卷

蘇彦集十卷

袁豹集十卷

王謐集十卷

周祗集十卷

梅陶集十卷

湛方生集十卷

劉瑾集八卷

羊徽集一卷

卞裕集十四卷

王愆期集十卷

孔璠之集二卷

王茂略集四卷

薄肅之集十卷

滕演集一卷

宋劉義宗集十五卷

謝瞻集二卷

孔琳之集十卷

王叔之集十卷①

徐廣集十五卷

孔寧子集十五卷

蔡廓集十卷

傅亮集十卷

孫康集十卷

---

① 此條後原有"孔琳之集十卷"六字,此六字已是上文,遂删。

鄭鮮之集二十卷

陶淵明集五卷

范泰集二十卷

王弘集二十卷

謝靈運集十五卷

荀昶集十四卷

孔欣集八卷

卞伯玉集五卷

王曇百集二卷①

謝弘微集二卷

王韶之集二十四卷

沈林子集七卷

姚濤之集二十卷

賀道養集十卷

衞令元集八卷

褚詮之集八卷

荀欽明集六卷

殷淳集三卷

劉瑀集七卷

劉緄集五卷

雷次宗集三十卷

宗炳集十五卷

伍緝之集十一卷

荀雍集十卷

袁淑集十卷

---

① "百"，殿本、中華本、《隋志》、《新志》均作"首"。

顏延之集三十卷

王微集十卷

王僧達集十卷

張暢集十四卷

何偃集八卷

沈懷文集十三卷

江智泉集十卷①

謝莊集十五卷

殷琰集八卷

顏竣集十三卷

何承天集三十卷

裴松之集三十卷

卞瑾集十卷

丘泉之集六卷

顏測集十一卷

湯惠休集三卷

沈勃集十五卷

徐爰集十卷

鮑照集十卷

庾蔚之集十一卷

虞通之集五卷

劉愔集十卷

孫緬集十卷

袁伯文集十卷

---

　　① 《廿二史考異》云："本名智淵，避諱改。"下"丘泉之集六卷"條同。案：上文有
"陶淵明集五卷"，《校勘記》云"唐人避諱，多改淵明爲泉明"，此盖後人所更正。

袁粲集十卷

齊褚彥回集十五卷

王儉集六十卷

周顒集二十卷

徐孝嗣集十二卷

王融集十卷

謝朓集十卷

孔稚珪集十卷

陸厥集十卷

虞羲集十一卷

宗躬集十二卷

江㲹集十一卷

張融玉海集六十卷

梁范雲集十二卷

江淹前集十卷

江淹後集十卷

任昉集三十四卷

宗史集十卷

王暕集二十卷①

魏道微集三卷

司馬裦集九卷

沈約集一百卷

沈約集略三十卷

傅昭集十卷

袁昂集二十卷

---

① "暕"，中華本作"瑓"。

徐勉前集二十五卷

徐勉後集十六卷

陶弘景集三十卷

周捨集二十卷

何遜集八卷

謝琛集五卷

謝郁集五卷

王僧孺集三十卷

張率集三十卷

楊眺集十卷

鮑畿集八卷

周興嗣集十卷

蕭洽集二卷

裴子野集十四卷

庾景興集十卷

陸倕集二十卷^①

劉之遴前集十卷

劉之遴後集三十卷^②

虞爵集六卷

王冏集三卷

劉孝綽集十一卷

劉孝儀集二十卷

劉孝威前集十卷

---

① “陸”下原有“子”字，中華本、《隋志》、《新志》均無。《梁書·陸倕傳》云：“陸倕……文集二十卷，行於世。”據改。

② “後”，原脫，據殿本、中華本補。

劉孝威後集十卷

丘遲集十卷

王錫集七卷

蕭子範集三卷

蕭子雲集二十卷

蕭子暉集十一卷

江革集十卷

吳均集二十卷

庾肩吾集十卷

王筠洗馬集十卷

王筠中庶子集十卷

王筠左右集十卷

王筠臨海集十卷

王筠中書集十卷

王筠尚書集十一卷

鮑泉集一卷

謝瑱集十卷

任孝恭集十卷

張纘集十卷

陸雲公集四卷

張縮集十卷

甄玄成集十卷

蕭欣集十卷

沈君攸集十二卷

後魏高允集二十卷

宗欽集二卷

李諧集十卷

韓宗集五卷

袁躍集九卷

薛孝通集六卷

温子昇集二十五卷

盧元明集六卷

陽固集三卷

魏孝景集一卷

北齊楊休之集二十卷

邢子才集三十卷

魏收集七十卷

劉逖集四十卷

後周宗懍集三十卷

王褒集三十卷

蕭撝集十卷

庾信集二十卷

王衡集三卷

陳沈炯前集六卷

沈炯後集十三卷

周弘正集二十卷

徐陵集三十卷

張正見集四卷

陸珍集五卷

陸瑜集十卷

沈不害集十卷

張式集十三卷

褚介集十卷

顧越集二卷

顧覽集五卷

姚察集二十卷

隋盧思道集二十卷

李元操集二十二卷

辛德源集三十卷

李德林集十卷

牛弘集十二卷

薛道衡集三十卷

何妥集十卷

柳顧言集十卷

江摠集二十卷①

殷英童集三十卷

蕭愨集九卷

魏澹集四卷

尹式集五卷

諸葛穎集十四卷②

王胄集十卷③

虞茂代集五卷

劉興宗集三卷

李播集三卷

唐陳叔達集五卷

褚亮集二十卷

虞世南集三十卷

----

① "摠"，殿本、中華本、《新志》皆作"總"。

② "穎"，中華本同，《新志》作"穎"。

③ "胄"，殿本、中華本、《隋志》、《新志》均作"胄"。《隋書·王胄傳》云："王胄……所撰詞賦，多行於世。"據此，則"胄"似爲"胄"之訛。

蕭瑀集一卷

沈齊家集十卷

薛收集十卷

楊師道集十卷

庾抱集六卷

孔穎達集五卷

王績集五卷

郎楚之集十卷

魏徵集二十卷

許敬宗集六十卷

于志寧集四十卷

上官儀集三十卷

李義府集三十九卷

顏師古集四十卷

岑文本集六十卷

劉子翼集十卷

殷聞禮集十卷

陸士季集十卷

劉孝孫集三十卷

鄭代翼集八卷

崔君實集十卷

李伯藥集三十卷

孔紹安集三卷

高季輔集二卷

溫彥博集二十卷

李玄道集十卷

謝偃集十卷

沈叔安集二十卷

陸楷集十卷

曹憲集三十卷

蕭德言集三十卷

潘求仁集三卷

殷芊集三卷

蕭鈞集三十卷

袁朗集四卷

楊纘集十卷

王約集一卷

任希古集五卷

凌敬集十四卷

王德儉集十卷

徐孝德集十卷

杜之松集十卷

宋令文集十卷

陳子良集十卷

顏顗集十卷

劉頴集十卷

司馬僉集十卷

鄭秀集十二卷

耿義褒集七卷

楊元亨集五卷

劉綱集三卷

王歸一集十卷

馬周集十卷

薛元超集三十卷

高智周集五卷

褚遂良集二十卷

劉禕之集五十卷

郝處俊集十卷

崔知悌集五卷

李安期集二十卷

唐觀集五卷

張大素集十卷

鄧玄挺集十卷

劉允濟集二十卷

駱賓王集十卷

盧照隣集二十卷①

楊炯集三十卷

王勃集三十卷

狄仁傑集十卷

李懷遠集八卷

盧受采集十卷

王適集二十卷

喬知之集二十卷

蘇味道集十五卷

薛曜集二十卷

郎餘慶集十卷

盧光容集五卷

崔融集四十卷

閻鏡機集十卷

---

① “集”，原脫，據中華本補。

李嶠集三十卷

喬備集六卷

陳子昂集十卷

元希聲集十卷

李適集二十卷

沈佺期集十卷

徐彥伯前集十卷

後集十卷

宋之問集十卷

杜審言集十卷

谷倚集十卷

富嘉謨集十卷

吳少微集十卷①

劉希夷集三卷

張柬之集十卷

桓彥範集三卷

韋承慶集六十卷

閭丘均集三十卷

郭元振集二十卷

魏知古集二十卷

閻朝隱集五卷

蘇瓌集十卷

員半千集十卷

李乂集五卷

姚崇集十卷

---

①　"吳"，原作"異"，據殿本、中華本、《新志》改。

丘悦集十卷

劉子玄集十卷

盧藏用集二十卷

道士江旻集三十卷

沙門曇諦集六卷

沙門惠遠集十五卷

沙門惠琳集五卷

沙門曇瑗集六卷

沙門亡名集十卷

沙門靈裕集二卷

沙門支遁集十卷

曹大家集二卷

鍾夫人集二卷

劉臻妻陳氏集五卷

九嬪集一卷

臨安公主集三卷

范靖妻沈滿願集五卷

徐悱妻劉氏集六卷

文章流別集三十卷　　摯虞撰。

善文四十九卷　　杜預撰。

名文集四十卷　　謝沈撰。

文苑一百卷　　孔逭撰。

文選三十卷　　梁昭明太子撰。

文選六十卷　　李善注。

又六十卷　　公孫羅撰。

文選音十卷　　蕭該撰。

又十卷　　公孫羅撰。

文選音義十卷　釋道淹撰。

小詞林五十三卷

集古今帝王正位文章九十卷

文海集三十六卷　蕭圓撰。

詞苑麗則二十卷　康明貞撰。

芳林要覽三百卷　許敬宗撰。

類文三百士舘詞林一千卷　許敬宗撰①。

賦集四十卷　宋明帝撰。

皇帝瑞應頌集十卷

五都賦五卷

獻賦集十卷　卞鑠撰。

上林賦一卷　司馬相如撰。

幽通賦一卷　班固撰,曹大家注。

又一卷　項岱撰。

二京賦二卷　張衡撰。

二京賦音二卷　薛綜撰。

三都賦三卷

齊都賦一卷　左太冲撰。

齊都賦音一卷　李軌撰。

百賦音一卷　褚令之撰。

賦音二卷　郭微之撰。

三京賦音一卷　綦毋邃撰。

木連理頌二卷

---

① 此條有誤。中華本"百"下有"七十七卷"四大字,"庚自直撰"四小字,以上爲一條;"士"作"文",以下另作一條。

靖恭堂頌一卷　李暠撰。①

諸郡碑一百六十六卷

雜碑文集二十卷

翰林論二卷　李充撰。

雜論九十五卷　殷仲堪撰。

設論集三卷　劉楷撰。

又五卷　謝靈運撰。

連珠集五卷　謝靈運撰。

制旨連珠四卷　梁武帝撰。

又十一卷　陸緬撰。

讚集五卷　謝莊撰。

七國敘讚十卷

吳國先賢讚論三卷

會稽先賢讚四卷　賀氏撰。

會稽太守像讚二卷　賀氏撰。

列女傳敘讚一卷　孫夫人撰。

古今箴銘集十三卷　張湛撰。

衆賢誡集十五卷

雜誡箴二十四卷

詔集圖別二十七卷　宋幹撰。

霸朝雜集五卷　李德林撰。

古今詔集三十卷　温彦博撰。

又一百卷　李義府撰。

聖朝詔集三十卷　薛堯撰。

---

　　① “暠”，原作“嵩”。《校勘記》云：“《晋書·涼武昭王李玄盛傳》載其作《靖恭堂頌》之事，玄盛即暠之字也。”據改。

書集八十卷　　王履撰。

書林六卷　　夏赤松撰。

山濤啓事三卷

苑寧啓事十卷①

梁中書表集二百五十卷

薦文集七卷

宋元嘉策五卷

策集六卷　　謝靈運撰。

七林集十二卷　　卞氏撰。

七悟集一卷　　顏延之撰。

誹諧文十五卷　　袁叔撰。

弘明集十四卷　　釋僧祐撰。

廣弘明集三十卷　　釋道宣撰。

陶神論五卷　　釋靈祐撰。

婦人訓解集十卷　　徐湛撰。②

婦人詩集二卷　　顏竣撰。

文訓集六卷③

文釋十卷　　江邃撰。

文心雕龍十卷　　劉勰撰。

百志詩集五卷　　干寶撰。

百國詩集二十九卷　　崔光撰。

百一詩八卷　　應璩撰。

百一詩集二卷　　李夑撰。

清溪集三十卷　　齊武帝命撰。

---

① "苑"，中華本作"范"。

② 中華本"解"作"誡"，"湛"下有"之"字。

③ "文"，中華本作"女"。

晉元氏宴會遊集四卷　　伏滔、袁豹、謝靈運等撰。

元嘉宴會遊山詩集五卷

元嘉西池宴會詩集三卷　　顏延之撰。

齊釋奠會詩集二十卷

文會詩集四卷　　徐伯陽撰。

文林詩府六卷　　北齊後主作。

西府新文十卷　　蕭淑撰。

詩集新撰三十卷　　宋明帝撰。

詩集二十卷　　宋明帝撰。

詩集抄十卷　　謝靈運撰。

詩集五十卷　　謝靈運撰。

詩集二十卷　　劉和撰。

又一百卷　　顏竣撰。

詩例録二卷　　顏竣撰。

詩英十卷　　謝靈運撰。

古今詩苑英華集二十卷　　梁昭明太子撰。

續古今詩苑英華二十卷　　釋惠靜撰。

詩林英選十一卷

類集一百一十三卷　　虞綽等撰。

詩纘十二卷

又詞英八卷

六代詩集鈔四卷　　徐凌撰。①

古今類序詩苑三十卷　　劉孝孫撰。

麗正文苑二十卷　　許敬宗撰。

古今詩類聚七十九卷　　郭瑜撰。

歌録集八卷

---

① “凌”，殿本、中華本、《新志》均作“陵”。

漢魏吳晉鼓吹曲四卷

樂府歌詩十卷

太樂雜歌詞三卷　　荀勖撰。

太樂歌詞二卷

樂府歌詞十卷

樂府歌詩十卷

三調相如歌詞三卷①

新撰録樂府集十一卷　　謝靈運撰。

玉臺新詠十卷　　徐陵撰。

迴文詩集一卷　　謝靈運撰。

金門待詔集十卷　　劉允濟撰。

集苑六十卷　　謝琨撰。

集林二百卷　　劉義慶撰。

集鈔四十卷

　　右集録楚詞七家，帝王二十七家，太子諸王二十一家，七國趙、楚各一家，前漢二十家，後漢五十家，魏四十六家，蜀二家，吳十四家，西晉一百一十九家，東晉一百四十四家，宋六十家，南齊十二家，梁五十九家，陳十四家，後魏十家，北齊四家，後周五家，②隋十八家，唐一百一十二家，沙門七家，婦人七家，總集一百二十四大家，③凡八百九十二部，一萬二千二十八卷。

　　三代之書，經秦燔煬殆盡。漢武帝、河間王始重儒術，於灰

---

①　"如"，中華本作"和"。

②　"後"，殿本、中華本均無。

③　中華本無"大"字。

燼之餘，拓纂亡散，篇卷僅而復存。劉更生石渠典校之書，①卷軸無幾，逮歆之《七略》，在《漢藝文志》者，裁三萬三千九百卷。後漢蘭臺、石室、東觀、南宮諸儒撰集，部帙漸增。董卓遷都，載舟西上，因罹寇盜，沉之於河，存者數船而已。及魏武父子，採掇遺亡，至晋總括群書，裁二萬七千九百四十五卷。及永嘉之亂，洛都覆沒，靡有孑遺。江表所存官書，凡三千一十四卷。至宋謝靈運造《四部書目錄》，凡四千五百八十二卷。其後王儉後造書目，凡五千七十四卷。南齊王亮、謝朏《四部書目》，凡一萬八千一十卷。齊末兵火延燒祕閣，②書籍煨燼。梁元帝克平侯景，收公私經籍歸于江陵，凡七萬餘卷。蓋佛老之書，計於其間。及周師入郢，咸自焚爇。周武保定之中，官書裁盈萬卷。平齊所得，數止五千。及隋氏平陳，南北一統，祕書監牛弘奏請搜訪遺逸，著定書目，凡三萬餘卷。煬帝寫五十副本，分爲三品。國家平王世充，③收其圖籍，泝河西上，多有沈没，存者重復八萬卷。自武德已後，文士既有修纂，篇卷滋多。開元時，甲乙丙丁四部書各爲一部，④置知書官八人分掌之。凡四部庫書，兩京各一本，共一十二萬五千九百六十卷，皆以益州麻紙寫。其集賢院御書：經庫皆鈿白牙軸，黃縹帶，紅牙籤；史書庫鈿青牙軸，縹帶，綠牙籤；子庫皆雕紫檀軸，紫帶，碧牙籤；集庫皆綠牙軸，朱帶，白牙籤，以分別之。

<hr>

①　“典”，原誤作“興”，據殿本、中華本改。
②　“末”，原作“宋”，蓋形近而誤。《校勘記》云：“按上文叙歷代藏書之事，即言南齊王亮、謝朏之事，則此處不應又言宋時之事，疑‘齊宋’當作‘齊末’，蓋指梁武帝代齊東昏之事也。《隋志》及《六典》亦云齊末兵火延燒祕閣，是其明證。”據改。
③　原脱“世”字，據殿本、中華本補。
④　“部”，中華本作“庫”。

新唐書藝文志

〔宋〕

歐陽修 等 撰

朱莉莉 整理

底本：《百衲本二十四史》影印宋嘉祐刻
《新唐書》卷五十七至卷六十
　　校本：1975 年中華書局排印《新唐書》本
　　　　　清乾隆四年(1739)武英殿刻《新唐
　　　　　書》本

自六經焚於秦而復出於漢，其師傳之道中絕，而簡編脫亂訛缺，學者莫得其本真，於是諸儒章句之學興焉。其後傳注、箋解、義疏之流，轉相講述，而聖道粗明，然其爲説固已不勝其繁矣。至於上古三皇五帝以來世次，國家興滅終始，僭竊僞亂，史官備矣。而傳記、小説，外暨方言、地理、職官、氏族，皆出於史官之流也。自孔子在時，方脩明聖經以紬繆異，而老子著書論道德。接乎周衰，戰國遊談放蕩之士，田駢、慎到、列、莊之徒，各極其辯。而孟軻、荀卿始專脩孔氏，以折異端。然諸子之論，各成一家，自前世皆存而不絕也。夫王迹熄而《詩》亡，《離騷》作而文辭之士興。歷代盛衰，文章與時高下。然其變態百出，不可窮極，何其多也。自漢以來，史官列其名氏篇第，以爲六藝、九種、七略。至唐始分爲四類，曰經、史、子、集。而藏書之盛，莫盛於開元，其著錄者，五萬三千九百一十五卷，而唐之學者自爲之書者，又二萬八千四百六十九卷。嗚呼，可謂盛矣。六經之道，簡嚴易直而天人備，故其愈久而益明。其餘作者衆矣，質之聖人，或離或合。然其精深閎博，各盡其術，而怪奇偉麗，往往震發於其間，此所以使好奇博愛者不能忘也。然凋零磨滅，亦不可勝數，豈其華文少實，不足以行遠歟？而俚言俗説，猥有存者，亦其有幸不幸者歟？今著于篇，有其名而亡其書者，十蓋五六也，可不惜哉。初，隋嘉則殿書三十七萬卷，至武德初，有書八萬卷，重複相糅。王世充平，得隋舊書八千餘卷，太府卿宋遵貴監運東都，浮舟泝河，西致京師，經砥柱舟覆，盡亡其書。貞觀中，魏徵、虞世南、顏師古繼爲祕書監，請購天下書，選五品以上子孫工書者爲書手，繕寫藏于内庫，以宮人掌之。玄宗命左散騎常侍、昭文館學士馬懷素爲脩圖書使，與右散騎常侍、崇文館學士褚无量整比。會幸東都，乃就乾元殿東序檢校。无量建議：御書以宰相宋璟、蘇頲同署，如貞觀故事。又借民間異本傳錄。及還京師，遷書東宮麗正殿，置修書院於著作院。其後大明宮光順門外、東都明福門外，皆創集賢書院，學士通籍出入。既而太府月給蜀郡麻紙五千番，季給上谷墨三百三十六丸，歲給河間、景城、清河、博平四郡兔千五百皮爲筆材。兩都各聚書四部，以甲、乙、丙、丁爲次，列經、史、子、集四庫。其本有正有副，軸帶帙籤皆異色以別之。安禄山之亂，尺簡不藏。元載爲相，奏以千錢購書一卷，又命拾遺苗發等使江淮括訪。至文宗時，鄭覃侍講，進言經籍未備，因詔祕閣搜採，於是四庫之書復完，分藏于十二庫。黃巢之亂，存者蓋尠。昭宗播遷，京城制置使孫惟晟斂書本軍，寓教坊於祕閣，有詔還其書，命監察御史韋昌範等諸道求購，及徙洛陽，蕩然無遺矣。

甲部經録,其類十一:一曰易類,二曰書類,三曰詩類,四曰禮類,五曰樂類,六曰春秋類,七曰孝經類,八曰論語類,九曰讖緯類,十曰經解類,十一曰小學類。凡著録四百四十家,五百九十七部,六千一百四十五卷。不著録一百一十七家,三千三百六十卷。

連山十卷
司馬膺　注歸藏十三卷
周易卜商傳二卷
孟喜　章句十卷
京房　章句十卷
費直　章句四卷
馬融　章句十卷
荀爽　章句十卷
鄭玄　注周易十卷
劉表　注五卷
董遇　注十卷
宋忠　注十卷
王肅　注十卷
王弼　注七卷　又　大衍論三卷
虞翻　注九卷
陸績　注十三卷
姚信　注十卷

荀煇　注十卷

蜀才　注十卷

王廙　注十卷

干寶　注十卷　又　爻義一卷

黃穎　注十卷

崔浩　注十卷

崔覲　注十三卷

何胤　注十卷

盧氏　注十卷

傅氏　注十四卷

王又玄　注十卷

王凱沖　注十卷

荀氏　九家集解十卷

馬鄭二王集解十卷

王弼　韓康伯　注十卷

二王集解十卷

張璠　集解十卷　又　略論一卷

謝萬　注繫辭二卷

桓玄　注繫辭二卷

荀諺　注繫辭二卷

荀柔之　注繫辭二卷

宋褰　注繫辭二卷

宋明帝　注義疏二十卷

張該等　羣臣講易疏二十卷

梁武帝　大義二十卷　又　大義疑問二十卷

蕭偉　發義一卷　又　幾義一卷

蕭子政　義疏十四卷　又　繫辭義二卷

張譏　講疏三十卷

何妥　講疏十三卷

褚仲都　講疏十六卷

梁蕃　文句義疏二十卷　又　開題論序疏十卷　釋序義三卷

劉瓛　繫辭義疏二卷　又　乾坤義疏一卷

鍾會　周易論四卷

范氏　周易論四卷

應吉甫　明易論一卷

鄒湛　統略論三卷

阮長成　阮仲容　難答論二卷

宋處宗　通易論一卷

宣聘　通易象論一卷

欒肇　通易象論一卷

袁宏　略譜一卷

楊乂　卦序論一卷

沈熊　周易譜一卷

雜音三卷

任希古　注周易十卷

周易正義十六卷 國子祭酒孔穎達、顏師古、司馬才章、王恭、太學博士馬嘉運、
太學助教趙乾叶、王談、于志寧等奉詔撰，四門博士蘇德融、趙弘智覆審。

陸德明　周易文句義疏二十四卷　文外大義二卷

陰弘道　周易新傳疏十卷 顗子，臨渙令。

薛仁貴　周易新注本義十四卷

王勃　周易發揮五卷

玄宗　周易大衍論三卷

李鼎祚　集注周易十七卷

東鄉助　周易物象釋疑一卷

僧一行　周易論　<small>卷亡。</small>　又　大衍玄圖一卷　義決一卷　大衍
　論二十卷

崔良佐　易忘象　<small>卷亡。</small>

元載　集注周易一百卷

李吉甫　注一行易　<small>卷亡。</small>

衞元嵩　元包十卷　<small>蘇源明傳,李江注。</small>

高定　周易外傳二十二卷　<small>郢子,京兆府參軍。</small>

裴通　易書一百五十卷　<small>字又玄,士淹子,文宗訪以《易》義,令進所撰書。</small>

盧行超　易義五卷　<small>字孟起,大中大合丞。</small>

陸希聲　周易傳二卷

　　　右易類七十六家,八十八部,六百六十五卷。　<small>失姓名一家,李</small>
<small>鼎祚以下不著錄十一家,三百二十九卷。</small>

古文尚書孔安國傳十三卷

謝沈　注十三卷

王肅　注十卷　又　釋駁五卷

范甯　注十卷

李顒　集注十卷　又　新釋二卷　要略二卷

姜道盛　集注十卷

徐邈　注逸篇三卷

伏勝　注大傳三卷　又　暢訓一卷

劉向　洪範五行傳論十一卷

馬融　傳十卷

王肅　孔安國問答三卷

鄭玄　注古文尚書九卷　又　注釋問四卷　<small>王粲問,田瓊、韓益正。</small>

呂文優　義注三卷

伊説　釋義四卷

顧歡　百問一卷

巢猗　百釋三卷　又　義疏十卷

費甝　義疏十卷

任孝恭　古文大義二十卷

蔡大寶　義疏三十卷

劉焯　義疏三十卷

顧彪　古文音義五卷　又　文外義一卷

劉炫　述義二十卷

王儉　音義四卷

王玄度　注尚書十三卷

今文尚書十三卷　開元十四年，玄宗以《洪範》"無偏無頗"聲不協，詔改爲"無偏無陂"。天寶三載，又詔集賢學士衞包改古文從今文。

尚書正義二十卷　國子祭酒孔穎達、太學博士王德韶、四門助教李子雲等奉詔撰。四門博士朱長才、蘇德融、太學助教隋德素、四門助教王士雄、趙弘智覆審。太尉楊州都督長孫无忌、司空李勣、左僕射于志寧、右僕射張行成、吏部尚書侍中高季輔、吏部尚書褚遂良、中書令柳奭、弘文館學士谷那律、劉伯莊、太學博士賈公彦、范義頵、齊威、太常博士柳士宣、孔志約、四門博士趙君贊、右内率府長史弘文館直學士薛伯珍、國子助教史士弘、太學助教鄭祖玄、周玄達、四門助教李玄植、王真儒與王德韶、隋德素等刊定。

王元感　尚書糾繆十卷

穆元休　洪範外傳十卷

陳正卿　續尚書　纂漢至唐十二代詔策、章疏、歌頌、符檄、論議成書，開元末上之。卷亡。

崔良佐　尚書演範　卷亡。

　右書類二十五家，三十三部，三百六卷。　王元感以下不著錄四家，二十卷。

韓詩卜商序韓嬰注二十二卷　又　外傳十卷

卜商　集序二卷　又　翼要十卷

毛萇　傳十卷

鄭玄　箋毛詩詁訓二十卷　又　譜三卷

王肅　注二十卷　又　雜義駁八卷　問難二卷

葉遵　注二十卷　號《葉詩》。

崔靈恩　集注二十四卷

義注五卷

劉楨　義問十卷

王基　毛詩駁五卷　毛詩雜答問五卷　雜義難十卷

孫毓　異同評十卷

楊乂　毛詩辨三卷

陳統　難孫氏詩評四卷　又　表隱二卷

元延明　誼府三卷

張氏　義疏五卷

陸璣　草木鳥獸魚蟲疏二卷

謝沈　釋義十卷

劉氏　序義一卷

劉炫　述義三十卷

魯世達　音義二卷

鄭玄等　諸家音十五卷

王玄度　注毛詩二十卷

毛詩正義四十卷　孔穎達、王德韶、齊威等奉詔撰，趙乾叶、四門助教賈普曜、趙
　弘智等覆正。

許叔牙　毛詩纂義十卷

成伯璵　毛詩指説一卷　又　斷章二卷

毛詩草木蟲魚圖二十卷　開成中，文宗命集賢院脩撰并繪物象，大學士楊嗣

復、學士張次宗上之。

　　右詩類二十五家，三十一部，三百二十二卷。　失姓名三家，許叔
牙以下不著錄三家，三十三卷。

大戴德禮記十三卷　又　喪服變除一卷

鄭玄　注小戴聖禮記二十卷　又　禮議二十卷　禮記音三卷
　曹耽解。三禮目録一卷　注周官十三卷　音三卷　注儀禮十
　七卷　喪服變除一卷　注喪服紀一卷

盧植　注小戴禮記二十卷

馬融　周官傳十二卷　又　注喪服記一卷

王肅　注小戴禮記三十卷　又　注周官十二卷　注儀禮十七
　卷　音二卷　喪服要記一卷　注喪服紀一卷

鄭小同　禮記義記四卷

袁準　注儀禮一卷

孔倫　注一卷

陳銓　注一卷

蔡超宗　注二卷

田僧紹　注二卷

傅玄　周官論評十二卷　陳邵駁。

杜預　喪服要集議三卷

賀循　喪服譜一卷　又　喪服要記五卷　謝微注。

干寶　注周官十二卷　又　答周官駁難五卷　孫略問。

李軌　小戴禮記音二卷

尹毅　音二卷

徐邈　音三卷

徐爰　音二卷

司馬伷　周官寧朔新書八卷　又　禮記寧朔新書二十卷　並王

　　戀約注。

戴顒　月令章句十二卷　又　中庸傳二卷　緧氏要鈔六卷

王逡之　注喪服五代行要記十卷

徐廣　禮論問答九卷

范甯　禮問九卷　又　禮論答問九卷

射慈　小戴禮記音二卷　又　喪服天子諸侯圖一卷

崔游　喪服圖一卷

蔡謨　喪服譜一卷　喪服要難一卷　趙成問，袁祈答。

伊説　注周官十卷

孫炎　注禮記三十卷

葉遵　注十二卷

董勛　問禮俗十卷

劉儁　禮記評十卷

吳商　雜禮義十一卷

何承天　禮論三百七卷

顏延之　禮逆降議三卷

任預　禮論條牒十卷　又　禮論帖三卷　禮論鈔六十六卷

庾蔚之　禮記略解十卷　又　注喪服要記五卷　禮論鈔二
　十卷

王儉　禮儀答問十卷　又　禮雜答問十卷　喪服古今集記
　三卷

荀萬秋　禮雜鈔略二卷

傅隆　禮議一卷

梁武帝　禮大義十卷

周捨　禮疑義五十卷

何佟之　禮記義十卷　又　禮答問十卷

戚壽　雜禮義問答四卷

賀瑒　禮論要鈔一百卷

賀述　禮統十二卷

崔靈恩　周官集注二十卷　又　三禮義宗三十卷

元延明　三禮宗略二十卷

皇侃　禮記講疏一百卷　又　義疏五十卷　喪服文句義十卷

沈重　周禮義疏四十卷　又　禮記義疏四十卷

熊安生　義疏四十卷

劉芳　義證十卷

沈文阿　喪服經傳義疏四卷　又　喪服發題二卷

夏侯伏朗　三禮圖十二卷　禮記隱二十六卷

禮類聚十卷

禮儀雜記故事十一卷

禮統郊祀六卷

禮論要鈔十三卷

區分十卷

禮論鈔略十三卷

禮記正義七十卷　孔穎達、國子司業朱子奢、國子助教李善信、賈公彥、柳士宣、范義頵、魏王參軍事張權等奉詔撰，與周玄達、趙君贊、王士雄、趙弘智覆審。

賈公彥　禮記正義八十卷　又　周禮疏五十卷　儀禮疏五十卷

魏徵　次禮記二十卷　亦曰《類禮》。

王玄度　周禮義決三卷　又　注禮記二十卷

元行沖　類禮義疏五十卷

御刊定禮記月令一卷　集賢院學士李林甫、陳希烈、徐安貞、直學士劉光謙、齊光乂、陸善經、脩撰官史玄晏、待制官梁令瓚等注解。自第五易爲第一。

成伯璵　禮記外傳四卷

王元感　禮記繩愆三十卷

王方慶　禮經正義十卷

禮雜問答十卷

李敬玄　禮論六十卷

張鎰　三禮圖九卷

陸質　類禮二十卷

韋彤　五禮精義十卷

丁公著　禮志十卷

禮記字例異同一卷　<small>元和十三年詔定。</small>

丘敬伯　五禮異同十卷

孫玉汝　五禮名義十卷

杜肅　禮略十卷

張頻　禮粹二十卷

　　右禮類六十九家，九十六部，一千八百二十七卷。　<small>失姓名七</small>
<small>家，元行沖以下不著録十六家，二百九十五卷。</small>

桓譚　樂元起二卷　又　琴操二卷

孔衍　琴操二卷

荀勖　太樂雜歌辭三卷　又　太樂歌辭二卷　樂府歌詩十卷

謝靈運　新録樂府集十一卷

信都芳　刪注樂書九卷

留進　管絃記十二卷

凌秀　管絃志十卷

公孫崇　鍾磬志二卷

梁武帝　樂社大義十卷　又樂論三卷

沈重　鍾律五卷

釋智匠　古今樂録十三卷

鄭譯　樂府歌辭八卷　又　樂府聲調六卷

蘇夔　樂府志十卷

李玄楚　樂經三十卷

元兟　樂略四卷　又　聲律指歸一卷

翟子　樂府歌詩十卷　又　三調相和歌辭五卷

劉氏　周氏　琴譜四卷

陳懷　琴譜二十一卷

漢魏吳晉鼓吹曲四卷

琴集歷頭拍簿一卷

外國伎曲三卷　又　一卷

論樂事二卷

歷代曲名一卷

推七音一卷

十二律譜義一卷

鼓吹樂章一卷

李守真　古今樂記八卷

蕭吉　樂譜集解二十卷

武后　樂書要録十卷

趙邪利　琴敘譜九卷

張文收　新樂書十二卷

劉貺　太樂令壁記三卷

徐景安　歷代樂儀三十卷

崔令欽　教坊記一卷

吳兢　樂府古題要解一卷

郗昂　樂府古今題解三卷　一作王昌齡。

段安節　樂府雜録一卷　文昌孫。

竇璡　正聲樂調一卷

玄宗　金風樂一卷

蕭祐　無射商九調譜一卷

趙惟暕　琴書三卷

陳拙　大唐正聲新址琴譜十卷

呂渭　廣陵止息譜一卷

李良輔　廣陵止息譜一卷

李約　東杓引譜一卷　勉子，兵部員外郎。

齊嵩　琴雅略一卷

王大力　琴聲律圖一卷

陳康士　琴譜十三卷　字安道，僖宗時人。　又　琴調四卷　琴譜一
　卷　離騷譜一卷

趙邪利　琴手勢譜一卷

南卓　羯鼓録一卷

　　　右樂類三十一家，三十八部，二百五十七卷。　失姓名九家，張文
　收以下不著録二十家，九十三卷。

左丘明　春秋外傳國語二十卷

董仲舒　春秋繁露十七卷

春秋穀梁傳十五卷　尹更始注。

春秋公羊傳五卷　嚴彭祖述。

賈逵　春秋左氏長經章句二十卷　又　解詁三十卷　春秋三
　家訓詁十二卷

董遇　左氏經傳章句三十卷

王肅　注三十卷　又　國語章句二十二卷

王朗　注左氏十卷

士燮　注春秋經十一卷

杜預　左氏經傳集解三十卷　又　釋例十五卷　音三卷

鄭衆　牒例章句九卷

頴容　釋例七卷

劉寔　條例十卷

方範　經例六卷

何休　左氏膏肓十卷 _{鄭玄箴。}　又　公羊解詁十三卷　春秋漢
　議十卷 _{麋信注,鄭玄駮。}　公羊條傳一卷　墨守一卷 _{鄭玄發。}
　穀梁廢疾三卷 _{鄭玄釋,張靖成。}[①]

服虔　左氏解誼三十卷　又　膏肓釋痾五卷　春秋成長説七
　卷　塞難三卷　音隱一卷　駁何氏春秋漢議十一卷

王玢　達長義一卷

孫毓　左氏傳義注三十卷　又　賈服異同略五卷

梁簡文帝　左氏傳例苑十八卷

干寶　春秋義函傳十六卷　序論一卷

殷興　左氏釋滯十卷

何始真　春秋左氏區別十二卷

張沖　春秋左氏義略三十卷

嚴彭祖　春秋圖七卷

吳略　春秋經傳詭例疑隱一卷

京相璠　春秋土地名三卷

王延之　旨通十卷

顧啓期　大夫譜十一卷

李謐　叢林十二卷

崔靈恩　立義十卷

申先儒傳例十卷

沈宏　經傳解六卷　又　文苑六卷　嘉語六卷

沈文阿　義略二十七卷

劉炫　攻昧十二卷　又　規過三卷　述議三十七卷

高貴鄉公　左氏音三卷

曹耽　荀訥　音四卷

李軌　音三卷

孫邈　音三卷

王元規　音三卷

孔氏　公羊集解十四卷

王愆期　注公羊十二卷　又　難答論一卷　庾翼難。

高襲　傳記十二卷

荀爽　徐欽　答問五卷

劉寔　左氏牒例二十卷　又　公羊違義三卷　劉晏注。

王儉　音二卷

春秋穀梁傳段肅注十三卷

唐固　注穀梁十二卷　又　注國語二十一卷

糜信　注穀梁十二卷　又　左氏傳説要十卷

張靖　集解十一卷

程闡　經傳集注十六卷

孔衍　訓注十三卷

范甯　集注十二卷

徐乾　注十三卷

徐邈　注十二卷　又　傳義十卷　音一卷

沈仲義　集解十卷

蕭邕　問傳義三卷

劉兆　三家集解十一卷

韓益　三傳論十卷

胡訥　集撰三傳經解十一卷　又　三傳評十卷

潘叔度　春秋成集十卷①　又　合三傳通論十卷

江熙　公羊穀梁二傳評三卷

李鉉　春秋二傳異同十二卷

虞翻　注國語二十一卷

韋昭　注二十一卷

孔鼂　解二十一卷

春秋辨證明經論六卷

左氏音十二卷

左氏鈔十卷

春秋辭苑五卷

雜義難五卷

左氏杜預評二卷

春秋正義三十六卷　孔穎達、楊士勛、朱長才奉詔撰。馬嘉運、王德韶、蘇德融與
　隋德素覆審。

楊士勛　穀梁疏十二卷

王玄度　注春秋左氏傳　卷亡。

盧藏用　春秋後語十卷

高重　春秋纂要四十卷　字文明，士廉五代孫，文宗時翰林侍講學士。帝好
　《左氏春秋》，命重分諸國各爲書，別名《經傳要略》。歷國子祭酒。

許康佐等　集左氏傳三十卷　一作文宗御集。

徐文遠　左傳義疏六十卷　又　左傳音三卷

陰弘道　春秋左氏傳序一卷

李氏　三傳異同例十三卷　開元中，右威衛録事參軍，失名。

馮伉　三傳異同三卷

---

①　"集"，武英殿本、中華本同，《隋書》卷三二《經籍志》、《通志》卷六三作"奪"。

劉軻　三傳指要十五卷

韋表微　春秋三傳總例二十卷

王元感　春秋振滯二十卷

韓滉　春秋通一卷

陸質　集注春秋二十卷　又　集傳春秋纂例十卷　春秋微旨
　二卷　春秋辨疑七卷

樊宗師　春秋集傳十五卷

春秋加減一卷　元和十三年，國子監脩定。

李瑾　春秋指掌十五卷

張傑　春秋圖五卷　又　春秋指元十卷

裴安時　左氏釋疑七卷　字適之，大中江陵少尹。

第五泰　左傳事類二十卷　字伯通，青州益都人，咸通鄂州文學。

成玄　公穀總例十卷①　字又玄，咸通山陽令。

陸希聲　春秋通例三卷

陳岳　折衷春秋三十卷　唐末鍾傳江西從事。

郭翔　春秋義鑑三十卷

柳宗元　非國語二卷

　　　右春秋類六十六家，一百部，一千一百六十三卷。　失姓名五
家，王玄度以下不著録二十二家，四百三卷。

古文孝經孔安國傳一卷

劉邵　注一卷

孝經王肅注一卷

鄭玄　注一卷

韋昭　注一卷

---

①　“公穀”，中華本同，武英殿本作“穀梁”。

孫熙　注一卷

蘇林　注一卷

謝万　注一卷

虞盤佐　注一卷

孔光　注一卷

殷仲文　注一卷

殷叔道　注一卷

徐整　默注二卷

車胤　講孝經義四卷

荀勗　講孝經集解一卷

皇侃　義疏三卷

何約之　大明中皇太子講義疏一卷

梁武帝　疏十八卷

太史叔明　發題四卷

劉炫　述義五卷

張士儒　演孝經十二卷

應瑞圖一卷

賈公彦　孝經疏五卷

魏克己　注孝經一卷

任希古　越王孝經新義十卷

今上孝經制旨一卷　玄宗。

元行沖　御注孝經疏二卷

尹知章　注孝經一卷

孔穎達　孝經義疏　卷亡。

王元感　注孝經一卷

李嗣真　孝經指要一卷

平貞昚　孝經議　卷亡。

徐浩　廣孝經十卷　浩稱四明山人，乾元二年上，授校書郎。

右孝經類二十七家，三十六部，八十二卷。　失姓名一家，尹知章以下不著録六家，一十三卷。

論語鄭玄注十卷　又　注論語釋義一卷　論語篇目弟子一卷

王弼　釋疑二卷

王肅　注論語十卷　又　注孔子家語十卷

李充　注論語十卷

梁覬　注十卷

孟釐　注九卷

袁喬　注十卷

尹毅　注十卷

張氏　注十卷

何晏　集解十卷

孫綽　集解十卷

盈氏　集義十卷

江熙　集解十卷

徐氏　古論語義注譜一卷

虞喜　贊鄭玄論語注十卷

暢惠明　義注十卷

宋明帝　補衞瓘論語注十卷

欒肇　論語釋十卷　又　駁二卷

崔豹　大義解十卷

繆播　旨序二卷

郭象　體略二卷

戴詵　述議二十卷

劉炫　章句二十卷

皇侃　疏十卷

褚仲都　講疏十卷

義注隱三卷

雜義十三卷

剔義十卷

徐邈　音二卷

孔叢七卷

王勃　次論語十卷

賈公彥　論語疏十五卷

韓愈　注論語十卷

張籍　論語注辨二卷

　　右論語類三十家，三十七部，三百二十七卷。　失姓名三家，韓愈以下不著錄二家，十二卷。

宋均　注易緯九卷　注詩緯十卷　注禮緯三卷　注樂緯三卷　注春秋緯三十八卷　注論語緯十卷　注孝經緯五卷

鄭玄　注書緯三卷　注詩緯三卷

　　右讖緯類二家，九部，八十四卷。

劉向　五經雜義七卷　又　五經通義九卷　五經要義五卷

許慎　五經異義十卷　鄭玄駁。

譙周　五經然否論五卷

楊方　五經鉤沉十卷

楊思　五經咨疑八卷

元延明　五經宗略四十卷

劉炫　五經正名十二卷

沈文阿　經典玄儒大義序錄十卷

班固等　白虎通義六卷

鄭玄　六藝論一卷　鄭志九卷　鄭記六卷

王肅　聖證論十一卷

梁武帝　孔子正言二十卷

簡文帝　長春義記一百卷

樊文深　七經義綱略論三十卷　又　質疑五卷

張譏　游玄桂林二十卷

謚法三卷　荀顗演，劉熙注。

沈約　謚例十卷

賀琛　謚法三卷

集天名稱三卷

陸德明　經典釋文三十卷

顏師古　匡謬正俗八卷

趙英　五經對訣四卷　英，龍朔中汲令。

劉迅　六說五卷

劉貺　六經外傳三十七卷

張鎰　五經微旨十四卷

韋表微　九經師授譜一卷

裴僑卿　微言注集二卷　開元中鄭縣尉。

高重　經傳要略十卷

王彥威　續古今謚法十四卷

慕容宗本　五經類語十卷　字泰初，幽州人，大中時。

劉氏　經典集音三十卷　鎔，字正範，絳州正平人，咸通晉州長史。

右經解類十九家，二十六部，三百八十一卷。　失姓名一家，趙英以下不著錄十家，一百二十七卷。

爾雅李巡注三卷

樊光　注六卷

孫炎　注六卷

沈琁　集注十卷

郭璞　注一卷　又　圖一卷　音義一卷

江灌　圖贊一卷　又　音六卷

李軌　解小爾雅一卷

楊雄　別國方言十三卷

劉熙　釋名八卷

韋昭　辨釋名一卷

李斯等　三蒼三卷　郭璞解。

杜林　蒼頡訓詁二卷

張揖　廣雅四卷　又　埤蒼三卷　三蒼訓詁三卷　雜字一卷
　古文字訓二卷

樊恭　廣蒼一卷

史游　急就章一卷　曹壽解。

顏之推　注一卷

司馬相如　凡將篇一卷

班固　在昔篇一卷

太甲篇一卷

蔡邕　聖草章一卷　又　勸學篇一卷　今字石經論語二卷

崔瑗　飛龍篇篆草勢合三卷

許慎　說文解字十五卷

呂忱　字林七卷

楊承慶　字統二十卷

馮幹　括字苑十三卷

賈魴　字屬篇一卷

葛洪　要用字苑一卷

戴規　辨字一卷

僧寶誌　文字釋訓三十卷

周成　解文字七卷

王延　雜文字音七卷

王氏　文字要説一卷

阮孝緒　文字集略一卷

彭立　文字辨嫌一卷

王愔　文字志三卷

顧野王　玉篇三十卷

李登　聲類十卷

呂静　韻集五卷

陽休之　韻略一卷　又　辨嫌音二卷

夏侯詠　四聲韻略十三卷

張諒　四聲部三十卷

趙氏　韻篇十二卷

陸慈　切韻五卷

郭訓　字旨篇一卷

古文奇字二卷

衞宏　詔定古文字書一卷

虞龢　法書目録六卷

衞恒　四體書勢一卷

蕭子雲　五十二體書一卷

庾肩吾　書品一卷

顔之推　筆墨法一卷

僧正度　雜字書八卷

何承天　纂文三卷

顔延之　纂要六卷　又　詁幼文三卷

張推　證俗音三卷

顏愍楚　證俗音略一卷

李虔續　通俗文二卷

李少通　俗語難字一卷

諸葛潁　桂苑珠叢一百卷

朱嗣卿　幼學篇一卷

項峻　始學篇十二卷

王羲之　小學篇一卷

楊方　少學集十卷

顧凱之　啓疑三卷

蕭子範　千字文一卷

周興嗣　次韻千字文一卷

演千字文五卷

黃初篇一卷

吳章篇一卷

音隱四卷

難要字三卷

覽字知源三卷

字書十卷

叙同音三卷

桂苑珠叢略要二十卷

古今八體六文書法一卷

古來篆隸詁訓名錄一卷

筆墨法一卷

鹿紙筆墨疏一卷

篆書千字文一卷

今字石經易篆三卷

今字石經尚書本五卷

今字石經鄭玄尚書八卷

三字石經尚書古篆三卷

今字石經毛詩三卷

今字石經儀禮四卷

三字石經左傳古篆書十二卷

今字石經左傳經十卷

今字石經公羊傳九卷

蔡邕　今字石經論語二卷

曹憲　爾雅音義二卷　又　博雅十卷　文字指歸四卷

劉伯莊　續爾雅一卷

顏師古　注急就章一卷

武后　字海一百卷　凡武后所著書，皆元万頃、范履冰、苗神客、周思茂、胡楚賓、衛業等撰。

李嗣真　書後品一卷

徐浩　書譜一卷

古跡記一卷

張懷瓘　書斷三卷　開元中，翰林院供奉。　又　評書藥石論一卷

張敬玄　書則一卷　貞元中處士。

褚長文　書指論一卷

張彦遠　法書要録十卷　弘靖孫，乾符初大理卿。

裴行儉　草字雜體　卷亡。

荆浩　筆法記一卷　浩稱洪谷子。

二王　張芝　張昶等書一千五百一十卷　太宗出御府金帛購天下古本，命魏徵、虞世南、褚遂良定真僞，凡得羲之真行二百九十紙，爲八十卷，又得獻之、張芝等書，以“貞觀”字爲印。草跡命遂良楷書小字以影之。其古本多梁、隋官書。梁則滿騫、徐僧權、沈熾文、朱异，隋則江總、①姚察署記。帝令魏、褚卷尾各署名。開

---

①　“則江”，原脱，中華本據《唐會要》卷三五補，今從之。

元五年,敕陸玄悌、魏哲、劉懷信檢校,分益卷秩。玄宗自書"開元"字爲印。

王方慶　寶章集十卷　又　王氏八體書範四卷　王氏工書狀
　十五卷

玄宗　開元文字音義三十卷

張參　五經文字三卷

唐玄度　九經字樣一卷　文宗時待詔。

顏元孫　干祿字書一卷

歐陽融　經典分毫正字一卷

李騰　說文字源一卷　陽冰從子。

僧慧力　像文玉篇三十卷

蕭鈞　韻音二十卷

孫愐　唐韻五卷

武元之　韻銓十五卷

玄宗　韻英五卷　天寶十四載撰,詔集賢院寫付諸道探訪使,傳布天下。

顏真卿　韻海鏡源三百六十卷

李舟　切韻十卷

僧猷智　辨體補脩加字切韻五卷

　　右小學類六十九家,一百三部,七百二十一卷。　失姓名二十
三家,徐浩以下不著錄二十三家,二千四十五卷。

二

翰林學士兼龍圖閣學士朝散大夫給事中知制誥充史館修撰臣歐陽脩奉敕撰

乙部史録,其類十三:一曰正史類,二曰編年類,三曰僞史類,四曰雜史類,五曰起居注類,六曰故事類,七曰職官類,八曰雜傳記類,九曰儀注類,十曰刑法類,十一曰目録類,十二曰譜牒類,十三曰地理類。凡著録五百七十一家,八百五十七部,一萬六千八百七十四卷。不著録三百五十八家,一萬二千三百二十七卷。

司馬遷　史記一百三十卷

裴駰　集解史記八十卷

徐廣　史記音義十三卷

鄒誕生　史記音三卷

班固　漢書一百一十五卷

服虔　漢書音訓一卷

應劭　漢書集解音義二十四卷

諸葛亮　論前漢事一卷　又　音一卷

孟康　漢書音義九卷

晉灼　漢書集注十四卷　又　音義十七卷

韋昭　漢書音義七卷

崔浩　漢書音義二卷

孔氏　漢書音義鈔二卷　孔文祥。

劉嗣等　漢書音義二十六卷

夏侯泳　漢書音二卷

包愷　漢書音十二卷

蕭該　漢書音十二卷

陰景倫　漢書律曆志音義一卷

項岱　漢書叙傳八卷

劉寶　漢書駁義二卷

陸澄　漢書新注一卷

韋稜　漢書續訓二卷

姚察　漢書訓纂三十卷

顏游秦　漢書決疑十二卷

僧務靜　漢書正義三十卷

李喜　漢書辨惑三十卷

漢書正名氏義十二卷

漢書英華八卷

劉珍等　東觀漢記一百二十六卷　又　錄一卷

謝承　後漢書一百三十卷　又　錄一卷

薛瑩　後漢記一百卷

司馬彪　續漢書八十三卷　又　錄一卷

劉義慶　後漢書五十八卷

華嶠　後漢書三十一卷

謝沈　後漢書一百二卷　又　外傳十卷

袁山松　後漢書一百一卷　又　錄一卷

范曄　後漢書九十二卷　又　論贊五卷

劉昭　補注後漢書五十八卷

張瑩　漢南紀五十八卷

劉熙　注范曄後漢書一百二十二卷

蕭該　後漢書音三卷

劉芳　後漢書音一卷

臧兢　後漢書音三卷

王沈　魏書四十七卷

陳壽　魏國志三十卷　蜀國志十五卷　吳國志二十一卷　並裴
松之注。

韋昭　吳書五十五卷

王隱　晉書八十九卷

虞預　晉書五十八卷

朱鳳　晉書十四卷

謝靈運　晉書三十五卷　又　録一卷

臧榮緒　晉書一百一十卷

干寶　晉書二十二卷

蕭子雲　晉書九卷

何法盛　晉中興書八十卷

徐爰　宋書四十二卷

孫嚴　宋書五十八卷

沈約　宋書一百卷

王智深　宋書三十卷

魏收　後魏書一百三十卷

魏澹　後魏書一百七卷

李德林　北齊末脩書二十四卷

王劭　齊志十七卷　又　隋書八十卷

蕭子顯　齊書六十卷

劉陟　齊書十三卷

謝昊　姚察　梁書三十四卷

顧野王　陳書二卷

傅縡　陳書三卷

許子儒　注史記一百三十卷　又　音三卷　字文舉，叔牙子也。證聖
　　天官侍郎、穎川縣男。

劉伯莊　史記音義二十卷

御銓定漢書八十七卷　高宗與郝處俊等撰。

顧胤　漢書古今集義二十卷

顏師古　注漢書一百二十卷

章懷太子賢　注後漢書一百卷　賢命劉訥言、格希玄等注。

韋機　後漢書音義二十七卷

晉書一百三十卷　房玄齡、褚遂良、許敬宗、來濟、陸元仕、劉子翼、令狐德棻、李
　　義府、薛元超、上官儀、崔行功、李淳風、辛丘馭、劉引之、陽仁卿、李延壽、張文恭、敬
　　播、李安期、李懷儼、趙弘智等脩，而名爲御撰。

姚思廉　梁書五十六卷

陳書三十六卷　皆魏徵等同撰。

張大素　後魏書一百卷　又　北齊書二十卷　隋書三十二卷

李百藥　北齊書五十卷

令狐德棻　後周書五十卷

隋書八十五卷　志三十卷　顏師古、孔穎達、于志寧、李淳風、韋安化、李延壽
　　與德棻、敬播、趙弘智、魏徵等撰。

王元感　注史記一百三十卷

徐堅　注史記一百三十卷

李鎮　注史記一百三十卷　開元十七年上，授門下典儀。　又　義林二
　　十卷

陳伯宣　注史記一百三十卷　貞元中上。

韓琬　續史記一百三十卷

司馬貞　史記索隱三十卷　開元潤州別駕。

劉伯莊　又撰　史記地名二十卷　漢書音義二十卷

張守節　史記正義三十卷

竇羣　史記名臣疏三十四卷

敬播　注漢書四十卷　又　漢書音義十二卷

元懷景　漢書議苑　卷亡。開元右庶子，武陵縣男。謚曰文。

姚珽　漢書紹訓四十卷

沈遵　漢書問答五卷

李善　漢書辨惑二十卷

徐堅　晋書一百一十卷

高希嶠　注晋書一百三十卷　開元二十年上，授清池主簿。

何超　晋書音義三卷　處士。

武德貞觀兩朝史八十卷　長孫无忌、令狐德棻、顧胤等撰。

吳兢　又　齊史十卷　梁史十卷　陳史五卷　周史十卷　隋
史二十卷　唐書一百卷　又　一百三十卷　兢、韋述、柳芳、令狐
峘、于休烈等撰。　①國史一百六卷　又　一百一十三卷

裴安時　史記纂訓二十卷　又　元魏書三十卷　字適之，大中江陵
少尹。

凡集史五家，六部，一千二百二十二卷。　高峻以下不著録三家，四百四
十卷。

梁武帝　通史六百二卷

李延壽　南史八十卷　又　北史一百卷

高氏　小史一百二十卷　高峻，初六十卷，其子迴釐益之。峻，元和中人。

劉氏　洞史二十卷　劉權，忠州刺史晏曾孫。

姚康復　統史三百卷　大中太子詹事。

右正史類七十家，九十部，四千八十五卷。　失姓名二家，王元感
以下不著録二十三家，一千七百九十卷。惣七十三家，六十九部。

---

①　"休"，原作"休"，據中華本改。

紀年十四卷　<small>汲冢書。</small>

荀悦　漢紀三十卷

應劭等　注荀悦漢紀三十卷

崔浩　漢紀音義三卷

侯瑾　漢皇德紀三十卷

張璠　後漢紀三十卷

袁宏　後漢紀三十卷

張緬　後漢略二十七卷

劉艾　漢靈獻二帝紀六卷

袁曄　漢獻帝春秋十卷

樂資　山陽公載記十卷

習鑿齒　漢晉春秋五十四卷　魏武本紀四卷

孫盛　魏武春秋二十卷　又　晉陽秋二十二卷

魏澹　魏紀十二卷

梁祚　魏書國紀十卷

環濟　吳紀十卷

陸機　晉帝紀四卷

干寶　晉紀二十二卷

劉協　注干寶晉紀六十卷

劉謙之　晉紀二十卷

曹嘉之　晉紀十卷

徐廣　晉紀四十五卷

鄧粲　晉紀十一卷　又　晉陽秋三十二卷

檀道鸞　晉春秋二十卷

蕭景暢　晉史草三十卷

郭季産　晉續紀五卷　晉録五卷

王智深　宋紀三十卷

裴子野　宋略二十卷

鮑衡卿　宋春秋二十卷

王琰　宋春秋二十卷

沈約　齊紀二十卷

吳均　齊春秋三十卷

謝昊　梁典三十九卷

劉璠　梁典三十卷

何之元　梁典三十卷

蕭韶　梁太清紀十卷

皇帝紀七卷

梁末代記一卷

臧嚴　栖鳳春秋五卷

姚最　梁昭後略十卷

北齊記二十卷

王劭　北齊志十七卷

趙毅　隋大業略記三卷

杜延業　晉春秋略二十卷

張大素　隋後略十卷

柳芳　唐曆四十卷

續唐曆二十二卷　韋澳、蔣偕、李荀、張彥遠、崔瑄撰，崔龜從監脩。

吳兢　唐春秋三十卷

韋述　唐春秋三十卷

陸長源　唐春秋六十卷

陳嶽　唐統紀一百卷

焦璐　唐朝年代記十卷　徐州從事，龐勛亂遇害。

李仁實　通曆七卷

馬摠　通曆十卷

王氏　五位圖十卷　<small>王起。</small>

廣五運圖　<small>卷亡。</small>

苗台符　古今通要四卷　<small>宣懿時人。</small>

賈欽文　古今年代曆一卷　<small>大中時人。</small>

曹圭　五運録十二卷

張敦素　建元曆二卷

劉軻　帝王曆數誷一卷　<small>字希仁，元和末進士第，洺州刺史。</small>

封演　古今年號録一卷　<small>天寶末進士第。</small>

韋美　嘉號録一卷　<small>中和中進士。</small>

柳璨　正閏位曆三卷

李匡文　兩漢至唐年紀一卷　<small>昭宗時宗正少卿。</small>

　　右編年類四十一家，四十八部，九百四十七卷。　<small>失姓名四家，柳芳以下不著録十九家，三百五十五卷。</small>

常璩　華陽國志十三卷　又　漢之書十卷　蜀李書九卷

和包　漢趙紀十四卷

田融　趙石記二十卷　又　二石記二十卷　符朝雜記一卷

王度　隨翩　二石僞事六卷　二石書十卷

范亨　燕書二十卷

王景暉　南燕録六卷

張詮　南燕書十卷

高閭　燕志十卷

段龜龍　涼記十卷

西河記二卷

張諮　涼記十卷

劉昞　涼書十卷　又　敦煌實録二十卷

裴景仁　秦記十一卷　<small>杜惠明注。</small>

拓拔涼録十卷

桓玄僞事二卷

鄴洛鼎峙記十卷

守節先生　天啓紀十卷

崔鴻　十六國春秋一百二十卷

蕭方　三十國春秋三十卷

李槩　戰國春秋二十卷

蔡允恭　後梁春秋十卷

武敏之　三十國春秋一百卷

　　右僞史類一十七家，二十七部，五百四十二卷。　失姓名三家。

古文鎖語四卷

汲冢周書十卷

子貢　越絶書十六卷

孔晁　注周書八卷

何承天　春秋前傳十卷　又　春秋前傳雜語十卷

樂資　春秋後傳三十卷

孟儀　注周載三十卷

趙曄　吳越春秋十二卷

楊方　吳越春秋削煩五卷

吳越記六卷

劉向　戰國策三十二卷

高誘　注戰國策三十二卷

延篤　戰國策論一卷

陸賈　楚漢春秋九卷

衛颯　史記要傳十卷

張瑩　史記正傳九卷

譙周　古史考二十五卷

王粲　漢書英雄記十卷

葛洪　史記鈔十四卷　又　漢書鈔三十卷　後漢書鈔三十卷

張緬　後漢書略二十五卷　又　晉書鈔三十卷

范曄　後漢書續十三卷

孔衍　春秋時國語十卷　又　春秋後國語十卷　漢尚書十
　卷　漢春秋十卷　後漢尚書六卷　後漢春秋六卷　後魏尚
　書十四卷　後魏春秋九卷

王越客　後漢文武釋論二十卷

袁希之　漢表十卷

張溫　三史要略三十卷

阮孝緒　正史削繁十四卷

王延秀　史要二十八卷

蕭蕭　合史二十卷　又　錄一卷

王蔑　史漢要集二卷

司馬彪　九州春秋九卷

後漢雜事十卷

魚豢　魏略五十卷

孫壽　魏陽秋異同八卷

魏武本紀年曆五卷

王隱　刪補蜀記七卷

張勃　吳錄三十卷

李槩　左史六卷

胡沖　吳朝人士品秩狀八卷　又　吳曆六卷

虞禹　吳士人行狀名品二卷

虞溥　江表傳五卷

徐眾　三國評三卷

王濤　三國志序評三卷

傅暢　晉諸公讚二十二卷　晉曆二卷

荀綽　晉後略五卷

賈匪之　漢魏晉帝要紀三卷

郭頒　魏晉代説十卷

謝綽　宋拾遺録十卷

孔思尚　宋齊語録十卷

陰僧仁　梁撮要三十卷

宋孝王　關東風俗傳六十三卷

來奥　帝王本紀十卷

環濟　帝王略要十二卷

劉滔　先聖本紀十卷

楊曄　華夷帝王紀三十七卷

張愔等　帝系譜二卷

韋昭　洞紀四卷

皇甫謐　帝王代紀十卷　又　年曆六卷

何茂林　續帝王代紀十卷　帝王代紀十六卷　曆紀十卷

姚恭　年曆帝紀二十六卷

吉文甫　十五代略十卷

代譜四十八卷　周武帝勑撰。

諸葛耽　帝録十卷

庾和之　歷代記三十卷

熊襄　十代記十卷

盧元福　帝王編年録五十一卷　又　共和以來甲乙紀年二卷

趙弘禮　王業曆二卷

周樹　洞曆記九卷

徐整　三五曆紀二卷　又　通曆二卷　雜曆五卷

孔衍國　志曆五卷　長曆十四卷　千年曆二卷

許氏　千歲曆三卷

陶弘景　帝王年曆五卷

羊璨　分王年曆五卷

王嘉　拾遺錄三卷　又　拾遺記十卷　<small>蕭綺錄。</small>

周祇　崇安記二卷

王韶之　崇安記十卷

鮑衡卿　乘輿飛龍記二卷

蕭大圓　淮海亂離志四卷

李仁實　通曆七卷

裴矩　隋開業平陳記十二卷

褚無量　帝王紀錄三卷

皇甫遵　吳越春秋傳十卷

盧彥卿　後魏紀三十三卷

劉允濟　魯後春秋二十卷

丘悅　三國典略三十卷

元行沖　魏典三十卷

貟半千　三國春秋二十卷

李筌　闔外春秋十卷

李吉甫　六代略三十卷

張絢　古五代新記二卷

許嵩　建康實錄二十卷

柳氏自備三十卷　<small>柳仲郢。</small>

鄭暐　史僑十卷

呂才　隋記二十卷

丘啓期　隋記十卷　<small>開元管城尉。</small>

杜寶　大業雜記十卷

杜儒童　隋季革命記五卷　武后時人。

劉氏行年記二十卷　劉仁軌。

崔良佐　三國春秋　卷亡。良佐，深州安平人，日用從子。居共白鹿山，門人諡曰貞文孝父。

裴遵度　王政記

楊岑　皇王寶運錄　並卷亡。岑，憲宗時人。

功臣錄三十卷

唐潁　稽典一百三十卷　開元中，潁罷臨汾尉，上之。張説奏留史館脩史，兼集賢待制。

王彥威　唐典七十卷

吳兢　唐書備闕記十卷

續皇王寶運錄十卷　韋昭度、楊涉撰。

韓祐　續古今人表十卷　開元十七年上，授太常寺太祝。

張薦　宰輔傳略　卷亡。

蔣乂　大唐宰輔錄七十卷　又　凌煙功臣　秦府十八學士史臣等傳四十卷

凌璠　唐錄政要十二卷　昭宗時江都尉。

南卓　唐朝綱領圖一卷　字昭嗣，大中黔南觀察使。

薛璠　唐聖運圖二卷

劉肅　大唐新語十三卷　元和中江都主簿。

李肇　國史補三卷　翰林學士，坐薦柏耆，自中書舍人左遷將作少監。

林恩　補國史十卷　僖宗時進士。傳載一卷　史遺一卷

溫大雅　今上王業記六卷

李延壽　太宗政典三十卷

吳兢　太宗勳史一卷　又　貞觀政要十卷

李康　明皇政錄十卷

鄭處誨　明皇雜錄二卷

鄭棨　開天傳信記一卷

溫畬　天寶亂離西幸記一卷

宋巨　明皇幸蜀記一卷

姚汝能　安祿山事迹三卷　華陰尉。

包諝　河洛春秋二卷　安祿山、史思明事。

徐岱　奉天記一卷　德宗西狩事。

崔光庭　德宗幸奉天錄一卷

趙元一　奉天錄四卷

張讀　建中西狩錄十卷　字聖用，僖宗時吏部侍郎。

袁皓　興元聖功錄三卷

谷況　燕南記三卷　張孝忠事。

路隋　平淮西記一卷

杜信　史略三十卷　又　閑居錄三十卷

鄭澥　涼國公平蔡錄一卷　字蘊士，李愬山南東道掌書記，開州刺史。

薛圖存　河南記一卷　李師道事。

李潛用　乙卯記一卷　李訓、鄭注事。

大和摧兇記一卷

野史甘露記二卷

開成紀事二卷

李石　開成承詔錄二卷

李德裕　次柳氏舊聞一卷　又　文武兩朝獻替記三卷　會昌伐叛記一卷　上黨紀叛一卷　劉從諫事。

韓昱　壺關錄三卷

裴廷裕　東觀奏記三卷　大順中，詔脩宣、懿、僖實錄，以日曆注記亡缺，因摭宣宗政事奏記於監脩國史杜讓能。廷裕，字膺餘，昭宗時翰林學士、左散騎常侍，貶湖南，卒。

令狐澄　貞陵遺事二卷　絢子也。乾符中書舍人。

柳玭　續貞陵遺事一卷

鄭言　平剡録一卷　裴甫事。言,字垂之,浙西觀察使王式從事,咸通翰林學士、戶部侍郎。

張雲　咸通解圍録一卷　字景之,一字瑞卿,起居舍人。

鄭樵　彭門紀亂三卷　龐勛事。

王坤　驚聽録一卷　黄巢事。

郭廷誨　廣陵妖亂志三卷　高駢事。

乾寧會稽録一卷　董昌事。

韓偓　金鑾密記五卷

王振　汴水滔天録一卷　昭宗時拾遺。

公沙仲穆　大和野史十卷　起大和,盡龍紀。

　　　　右雜史類八十八家,一百七部,一千八百二十八卷。　失姓名八家,元行沖以下不著録六十八家。八百六十一卷。

郭璞　穆天子傳六卷

漢獻帝起居注五卷

**李軌　晋泰始起居注二十卷　又　晋咸寧起居注二十二卷
晋太康起居注二十二卷　晋永平起居注八卷　晋咸和起居
注十八卷　晋咸康起居注二十二卷**

劉道薈　晋起居注三百二十卷

晋建武大興永昌起居注二十二卷

晋建元起居注四卷

晋永和起居注二十四卷

晋升平起居注十卷

晋隆和興寧起居注五卷

晋太和起居注六卷

晋咸安起居注三卷

晉寧康起居注六卷

晉太元起居注五十二卷

晉崇寧起居注十卷

晉元興起居注九卷

晉義熙起居注三十四卷

晉元熙起居注二卷

何始真　晉起居鈔五十一卷

晉起居注鈔二十四卷

宋永初起居注六卷

宋景平起居注三卷

宋元嘉起居注七十一卷

宋孝建起居注十七卷

宋大明起居注十五卷

後魏起居注二百七十六卷

齊永明起居注二十五卷

梁大同七年起居注十卷

陳起居注四十一卷

隋開皇元年起居注六卷

王逡之　三代起居注鈔十五卷

流別起居注四十七卷

溫大雅　大唐創業起居注三卷

開元起居注三千六百八十二卷　失撰人名。

姚璹　脩時政記四十卷

凡實錄二十八部，三百四十五卷。　劉知幾以下不著錄四百五十七卷。

周興嗣　梁皇帝實錄二卷

謝昊　梁皇帝實錄五卷

梁太清實録十卷

高祖實録二十卷　敬播撰，房玄齡監脩，許敬宗删改。

今上實録二十卷　敬播、顧胤撰，房玄齡監脩。

長孫无忌　貞觀實録四十卷

許敬宗　皇帝實録三十卷

高宗後脩實録三十卷　初，令狐德棻撰，止乾封，劉知幾、吳兢續成。

韋述　高宗實録三十卷

武后　高宗實録一百卷

則天皇后實録二十卷　魏元忠、武三思、祝欽明、徐彦伯、柳沖、韋承慶、崔融、岑
羲、徐堅撰，劉知幾、吳兢删正。

宗秦客　聖母神皇實録十八卷

吳兢　中宗實録二十卷

劉知幾　太上皇實録十卷

吳兢　睿宗實録五卷

張説　今上實録二十卷　説與唐穎撰，次玄宗開元初事。

開元實録四十七卷　失撰人名。

玄宗實録一百卷　令狐峘撰，元載監脩。

肅宗實録三十卷　元載監脩。

令狐峘　代宗實録四十卷

沈既濟　建中實録十卷

德宗實録五十卷　蔣乂、樊紳、林寶、韋處厚、獨孤郁撰，裴垍監脩。

順宗實録五卷　韓愈、沈傳師、宇文籍撰，李吉甫監脩。

憲宗實録四十卷　沈傳師、鄭澣、宇文籍、蔣係、李漢、陳夷行、蘇景胤撰，杜元穎、
韋處厚、路隋監脩。景胤，弁子也，中書舍人。

穆宗實録二十卷　蘇景胤、王彦威、楊漢公、蘇滌、裴休撰，路隋監脩。滌，字玄
獻，冕子也，荆南節度使、吏部尚書。

敬宗實録十卷　陳商、鄭亞撰，李讓夷監脩。商，字述聖，禮部侍郎、祕書監。

文宗實録四十卷 <small>盧耽、蔣偕、王渢、盧告、牛叢撰，魏謩監脩。耽，字子嚴，一字子重，歷西川節度使、同中書門下平章事。渢，字中德，歷東都留守。告，字子有，弘宣子也，歷吏部侍郎。</small>

武宗實録三十卷 <small>韋保衡監脩。</small>

凡詔令一家，一十一部，三百五卷。 <small>失姓名十家，温彦博以下不著録十一家，二百二十二卷。</small>

晉雜詔書一百卷　又　二十八卷　又　六十六卷

晉詔書黄素制五卷

晉定品雜制一卷

晉太元副詔二十一卷

晉崇安元興大亨副詔八卷

晉義熙詔二十二卷

宋永初詔六卷

宋元嘉詔二十一卷

宋幹　詔集區別二十七卷

温彦博　古今詔集三十卷

李義府　古今詔集一百卷

薛克構　聖朝詔集三十卷

唐德音録三十卷

太平内制五卷

明皇制詔録一卷

元和制集十卷

王起　寫宣十卷

馬文敏　王言會最五卷

唐舊制編録六卷 <small>費氏集。</small>

擬狀注制十卷

右起居注類六家，三十八部，一千二百七十二卷。　失姓名二十六家，開元起居注以下不著錄三家，三千七百二十五卷。**總七家，七十七部。**

秦漢以來舊事八卷

漢武帝故事二卷

韋氏　三輔舊事一卷

葛洪　西京雜記二卷

建武故事三卷

永平故事二卷

應劭　漢朝駮三十卷

漢諸王奏事十卷

漢魏吳蜀舊事八卷

魏名臣奏事三十卷

魏臺訪議三卷

魏廷尉決事十卷

南臺奏事九卷

晉太始太康故事八卷

孔愉　晉建武咸和咸康故事四卷

晉建武以來故事三卷

晉氏故事三卷

晉朝雜事二卷

晉故事四十三卷

晉諸雜故事二十二卷

晉雜議十卷

晉要事三卷

晉宋舊事一百三十卷

車灌　晉脩復山陵故事五卷

盧綝　晉八王故事十二卷　又　晉四王起事四卷

張敞　晉東宮舊事十卷

范汪　尚書大事二十一卷

華林故事名一卷

劉道薈　先朝故事二十卷

交州雜故事九卷

中興伐逆事二卷

温子昇　魏永安故事三卷

蕭大圜　梁魏舊事三十卷

僧亡名　天正舊事三卷

應詹　江南故事三卷

大司馬陶公故事三卷

郗太尉爲尚書令故事三卷

王愻期　救襄陽上都府事一卷

春坊舊事三卷

武后　述聖紀一卷

杜正倫　春坊要録四卷

王方慶　南宮故事十二卷

裴矩　鄴都故事十卷

馬摠　唐年小録八卷

張齊賢　孝和中興故事三卷

盧若虛　南宮故事三十卷

令狐德棻　凌煙閣功臣故事四卷

敬播　文貞公傳事四卷

劉褘之　文貞公故事六卷

張大業　魏文貞故事八卷

王方慶　文貞公事録一卷

李仁實　衛公平突厥故事二卷

謝偃　英公故事四卷

劉禕之　英國貞武公故事四卷

陳諫等　彭城公故事一卷　劉晏。

張九齡事迹一卷

李渤事迹一卷

杜悰事迹一卷

吳湘事迹一卷

丘據　相國涼公録一卷　李抱玉事。據，諫議大夫。

　　右故事類十七家，四十三部，四百九十六卷。　失姓名二十五家，裴矩以下不著録十六家，九十卷。

王隆　漢官解詁三卷　胡廣注。

應劭　漢官五卷

漢官儀十卷

蔡質　漢官典儀一卷

丁孚　漢官儀式選用一卷

荀攸等　魏官儀一卷

傅暢　晉公卿禮秩故事九卷

百官名十四卷

干寶　司徒儀注五卷

陸機　晉惠帝百官名三卷　晉官屬名四卷　晉過江人士目一卷

衛禹　晉永嘉流士二卷　登城三戰簿三卷

范曄　百官階次一卷

荀欽明　宋百官階次三卷　宋百官春秋六卷　魏官品令一卷

王珪之　齊職官儀五十卷

徐勉　梁選簿三卷

沈約　梁新定官品十六卷

梁百官人名十五卷

陳將軍簿一卷

太建十一年百官簿狀二卷

郎楚之　隋官序録十二卷

王道秀　百官春秋十三卷

郭演　職令古今百官注十卷

陶彥藻　職官要録三十六卷

職貟舊事三十卷

王方慶　宮卿舊事一卷

六典三十卷　開元十年，起居舍人陸堅被詔集賢院脩"六典"，玄宗手寫六條，曰理典、教典、禮典、政典、刑典、事典。張説知院，委徐堅，經歲無規制，乃命毋煚、余欽、咸廣業、孫季良、韋述參撰。始以令式象《周禮》六官爲制。蕭嵩知院，加劉鄭蘭、蕭晟、盧若虛。張九齡知院，加陸善經。李林甫代九齡，加苑咸。二十六年書成。

王方慶　又撰　尚書考功簿五卷　又　尚書考功狀續簿十卷
　尚書科配簿五卷　五省遷除二十卷

裴行儉　選譜十卷

唐循資格一卷　天寶中定。

沈既濟　選舉志十卷

梁載言　具貟故事十卷　又　具貟事迹十卷

杜英師　職該二卷

任戩　官品纂要十卷

溫大雅　大丞相唐王官屬記二卷

杜易簡　御史臺

雜注五卷

韓琬　御史臺記十二卷

韋述　御史臺記十卷　又　集賢注記三卷

李構　御史臺故事三卷

劉貺　天官舊事一卷

柳芳　大唐宰相表三卷

馬宇　鳳池録五十卷

賀蘭正元　輔佐記十卷　又　舉選衡鑑三卷　_{昭義判官，貞元十三}
年上。

韋珰　國相事狀七卷　_{憲宗時人。}

張之緒　文昌擿益二卷　_{德宗時人。}

李肇　翰林志一卷

李吉甫　元和國計簿十卷　又　元和百司舉要一卷

王涯　唐循資格五卷

韋處厚　大和國計二十卷

王彦威　占額圖一卷

孫結　大唐國照圖一卷　_{文宗時人。}

大唐國要圖五卷　_{左僕射賈耽纂，監察御史褚璆重脩。}

翰林内誌一卷

楊鉅　翰林學士院舊規一卷　_{字文碩，收子也。昭宗時翰林學士、吏部侍郎。}

　　右職官類十九家，二十六部，二百六十二卷。　失姓名十家，《六
典》以下不著録二十九家，二百八十卷。

趙岐　三輔決録十卷　_{摯虞注。}

魏文帝　海内士品録三卷

海内先賢傳五卷　_{魏明帝時撰。}

李氏　海内先賢行狀三卷

韋氏　四海耆舊傳一卷

諸國先賢傳一卷

圈稱　陳留風俗傳三卷

蘇林　陳留耆舊傳三卷

劉昞　敦煌實録二十卷

陳英宗　陳留先賢傳像讚一卷

江敞　陳留人物志十五卷

周斐　汝南先賢傳五卷

陸胤志　廣州先賢傳七卷

劉芳　廣州先賢傳七卷

徐整　豫章舊志八卷　又　豫章烈士傳三卷

華隔　廣陵烈士傳一卷

張勝　桂陽先賢畫讚五卷

朱育　會稽記四卷

虞預　會稽典録二十四卷

謝承　會稽先賢傳七卷

賀氏　會稽先賢傳像讚四卷

鍾離岫　會稽後賢傳三卷

賀氏　會稽太守像讚二卷

陸凱　吳國先賢傳五卷

吳國先賢像讚三卷

陳壽　益部耆舊傳十四卷

益州耆舊雜傳記二卷

白褒　魯國先賢傳十四卷

張方　楚國先賢傳十二卷

高範　荊州先賢傳三卷

仲長統　山陽先賢傳一卷

范瑗　交州先賢傳四卷

習鑿齒　襄陽耆舊傳五卷　又　逸人高士傳八卷

王基　東萊耆舊傳一卷

王羲度　徐州先賢傳九卷　又　一卷

劉義慶　徐州先賢傳讚八卷

劉彧　長沙舊邦傳讚四卷

郭緣生　武昌先賢傳三卷

虞溥　江表傳三卷

崔蔚祖　海岱志十卷

吳均　吳郡錢塘先賢傳五卷

陽休之　幽州古今人物志三十卷

留叔先　東陽朝堂書讚一卷

濟北先賢傳一卷

廬江七賢傳一卷

零陵先賢傳一卷

蕭廣濟　孝子傳十五卷

師覺授　孝子傳八卷

王韶之　孝子傳十五卷　又　讚三卷

宗躬　孝子傳二十卷　又　止足傳十卷

虞盤佐　孝子傳一卷　又　高士傳二卷

徐廣　孝子傳三卷

梁武帝　孝子傳三十卷

雜孝子傳二卷

鄭緝之　孝子傳讚十卷

申秀　孝友傳八卷

元懌　顯忠錄二十卷

嵇康　聖賢高士傳八卷

皇甫謐　高士傳十卷　又　逸士傳一卷

玄晏春秋二卷

韋氏家傳三卷

周續之　上古以來聖賢高士傳讚三卷

劉晝　高才不遇傳四卷

周弘讓　續高士傳八卷

張顯　逸人傳三卷

鍾離儒　逸人傳七卷

袁宏　名士傳三卷

袁淑　真隱傳二卷

阮孝緒　高隱傳十卷

劉向　列士傳二卷

范晏　陰德傳二卷

齊竟陵文宣王子良　止足傳十卷

鍾岏　良吏傳十卷

先儒傳五卷

殷系　英藩可錄事三卷　一云張萬賢撰。

鄭忱　文林館記十卷

張騭　文士傳五十卷

梁元帝　孝德傳三十卷　又　忠臣傳三十卷　全德志一卷

丹楊尹傳十卷

同姓名錄一卷

懷舊志九卷

裴懷貴　兄弟傳三卷

悼善列傳四卷

劉昭　幼童傳十卷

盧思道　知己傳一卷

孫敏　春秋列國名臣傳九卷

孔子弟子傳五卷

東方朔傳八卷

李固別傳七卷

梁冀傳二卷

郭沖　諸葛亮隱没五事一卷

何顒傳一卷

曹瞞傳一卷

毋丘儉記三卷

管辰　管輅傳二卷

戴逵　竹林七賢論二卷

孟仲暉　七賢傳七卷

桓玄傳二卷

雜傳六十九卷　又　四十卷　又　九卷

任昉　雜傳一百二十卷

荆揚二州遷代記四卷

元暉等　祕録二百七十卷

王孝恭　集記一百卷

漢明帝畫讚五十卷

姚澹　四科傳讚四卷

七國叙讚十卷

益州文翁學堂圖一卷

荀伯子　荀氏家傳十卷　又　薛常侍傳二卷

明氏世録六卷　明粲。

漢南庾氏家傳三卷　庾守業。

褚氏家傳一卷　褚結撰，褚陶注。

殷氏家傳三卷　殷敬。

崔氏世傳七卷　崔鴻。

邵氏家傳十卷

王氏家傳二十一卷

江氏家傳七卷　<small>江饒。</small>

暨氏家傳一卷

虞氏家傳五卷　<small>虞覽。</small>

裴氏家記三卷　<small>裴松之。</small>

諸葛傳五卷

曹氏家傳一卷　<small>曹毗。</small>

諸王傳一卷

陸史十五卷　<small>陸煦。</small>

王劭　尔朱氏家傳二卷

何妥家傳二卷

裴若弼家傳一卷

令狐德棻　令狐家傳一卷

張大素　敦煌張氏家傳二十卷

魏徵　自古諸侯王善惡錄二卷

章懷太子　列藩正論三十卷

鄭世翼　交游傳二卷

李襲譽　忠孝圖傳讚二十卷

許敬宗　文館詞林文人傳一百卷

崔玄暐　友義傳十卷　又　義士傳十五卷

傅弈　高識傳十卷

郎餘令　孝子後傳三十卷

平貞眘　養德傳　<small>卷亡。</small>

徐堅　大隱傳三卷

裴胐　續文士傳十卷　<small>開元中懷州司馬。</small>

李襲譽　又撰　江東記三十卷

李義府　宦游記七十卷

王方慶　友悌録十五卷　又　王氏訓誡五卷　王氏列傳十五
　卷　王氏尚書傳五卷　魏文貞故書十卷

唐臨　冥報記二卷

李筌　中台志十卷

盧詵　四公記一卷　<small>一作梁載言。</small>

王瓘　廣軒轅本紀三卷

李渤　六賢圖讚一卷

陸龜蒙　小名録五卷

張昌宗　古文紀年新傳三卷　<small>昌宗,冀州南宫人,太子舍人。</small>

王緒　永寧公輔梁記十卷　<small>緒,開元人,僧辯兄孫也。永寧即僧辯所封。</small>

賈閏甫　李密傳三卷　<small>閏甫,密舊屬。</small>

顏師古　安興貴家傳　<small>卷亡。</small>

陸氏英賢徵記三卷　<small>陸師儒。</small>

李邕　狄仁傑傳三卷

郭湜　高氏外傳一卷　<small>力士。湜,大曆大理司直。</small>

李翰　張巡姚誾傳二卷

陳翃　郭公家傳八卷　<small>子儀。翃嘗爲其寮屬,後又從事渾瑊河中幕。</small>

殷亮　顏氏家傳一卷　<small>杲卿。</small>

殷仲容　顏氏行狀一卷　<small>真卿。</small>

馬宇　段公別傳二卷　<small>秀實。宇,元和秘書少監,史館脩撰。</small>

李繁　相國鄴侯家傳十卷

王起　李趙公行狀一卷　<small>李吉甫。</small>

張茂樞　河東張氏家傳三卷　<small>弘靖孫。</small>

崔氏　唐顯慶登科記五卷　<small>失名。</small>

姚康　科第録十六卷　<small>字汝諧,南仲孫也。兵部郎中,金吾將軍。</small>

李弈　唐登科記二卷

文場盛事一卷

張鷟　朝野僉載二十卷　<small>自號浮休子。</small>

封氏聞見記五卷　<small>封演。</small>

劉餗　國朝傳記三卷　國朝舊事四十卷

蘇特　唐代衣冠盛事錄一卷

李綽　尚書故實一卷　<small>尚書即張延賞。</small>

柳氏訓序一卷　<small>柳玭。</small>

武平一　景龍文館記十卷

蕭叔和　天祚永歸記一卷　<small>睿宗事。</small>

韋機　西征記　<small>卷亡。</small>

韓琬　南征記十卷

凌準　邠志二卷

陸贄　遣使錄一卷

裴蕭　平戎記五卷　<small>休父。</small>

房千里　投荒雜錄一卷　<small>字鵠舉，大和初進士第，高州刺史。</small>

杜佑　賓佐記一卷

文宗朝備問一卷

黃璞　閩川名士傳一卷　<small>字紹山，大順中進士第。</small>

魏徵　祥瑞錄十卷

徐景　玉璽正錄一卷

國寶傳一卷

許康佐　九鼎記四卷

顏師古　王會圖　<small>卷亡。</small>

李德裕　異域歸忠傳二卷

西蕃會盟記三卷

西戎記二卷

英雄錄一卷

趙琬　孝行志二十卷　<small>字盈之，晉州岳陽人，會昌中。</small>

武誼　自古忠臣傳二十卷　字子思,楚州盱眙人,咸通中州從事。

凡女訓十七家,二十四部,三百八十三卷。　失姓名一家,王方慶以下不著錄五家,八十三卷。

劉向　列女傳十五卷　曹大家注。

皇甫謐　列女傳六卷

綦母邃　列女傳七卷

劉熙　列女傳八卷

趙母　列女傳七卷

項宗　列女後傳十卷

曹植　列女傳頌一卷

孫夫人　列女傳序讚一卷

杜預　列女記十卷

虞通之　后妃記四卷　又　妬記二卷

諸葛亮　貞絜記一卷

曹大家　女誡一卷

辛德源　王劭等　內訓二十卷

徐湛之　婦人訓解集十卷

女訓集六卷

長孫皇后　女則要錄十卷

魏徵　列女傳略七卷

武后　列女傳一百卷　又　孝女傳二十卷　古今內範一百卷　內範要略十卷　保傅乳母傳七卷　鳳樓新誡二十卷

王方慶　王氏女記十卷　又　王氏王嬪傳五卷　續妬記五卷

尚宮宋氏　女論語十篇

薛蒙妻韋氏　續曹大家女訓十二章　韋溫女。蒙,字中明,開成中進士第。

王搏妻楊氏　女誡一卷

　　右雜傳記類一百二十五家，一百四十六部，一千六百五十
　　六卷。　失姓名十四家，崔玄暐以下不著録五十一家，二千五百七十四卷。
　　惣一百四十七家，一百五十一部。

衛宏　漢舊儀四卷

董巴　大漢輿服志一卷

徐廣　車服雜注一卷　又　晉尚書儀曹新定儀注四十一卷
　　晉儀注三十九卷

傅瑗　晉新定儀注四十卷

晉尚書儀曹吉禮儀注三卷

晉尚書儀曹事九卷

晉雜儀注二十一卷

宋尚書儀注三十六卷

宋儀注二卷

張鏡　宋東宮儀記二十三卷

嚴植之　南齊儀注二十八卷　又　梁皇帝崩凶儀十一卷　梁
　　皇太子喪禮五卷　梁王侯以下凶禮九卷　士喪禮儀注十
　　四卷

沈約　梁儀注十卷　又　梁祭地祇陰陽儀注二卷

鮑泉　新儀三十卷

明山賓等　梁吉禮十八卷

梁吉禮儀注四卷　又　十卷

梁尚書儀曹儀注十八卷　又　二十卷

梁天子喪禮七卷　又　五卷

梁大行皇帝皇后崩儀注一卷

梁太子妃薨凶儀注九卷

梁諸侯世子卒凶儀注九卷

梁陳大行皇帝崩儀注八卷

賀瑒等　梁賓禮一卷

梁賓禮儀注十三卷

陸璉　梁軍禮四卷

司馬褧　梁嘉禮三十五卷　又　嘉禮儀注四十五卷

陳吉禮儀注五十卷

陳雜吉儀注三十卷

陳雜儀注六卷

陳諸帝后崩儀注五卷

陳雜儀注凶儀十三卷

陳皇太后崩儀注四卷　儀曹撰。

陳皇太子妃薨儀注五卷　儀曹撰。

張彥　陳賓禮儀注六卷

常景　後魏儀注五十卷

趙彥深　北齊吉禮七十二卷

北齊皇太后喪禮十卷

高頻　隋吉禮五十四卷

牛弘　潘徽　隋江都集禮一百二十卷

大駕鹵簿一卷

周遷　古今輿服雜事十卷

蕭子雲　古今輿服雜事二十卷

甲辰儀注五卷

摯虞　決疑要注一卷

崔豹　古今注一卷

諸王國雜儀注十卷

雜儀注一百卷

范汪　雜府州郡儀十卷　又　祭典三卷

何胤　喪服治禮儀注九卷

何點　理禮儀注九卷

冠婚儀四卷

崔皓　婚儀祭儀二卷

何晏　魏明帝謚議二卷

魏氏郊丘三卷

高堂隆　魏臺雜訪議三卷

晉謚議八卷

晉簡文謚議四卷

孔晁等　晉明堂郊社議三卷

蔡謨　晉七廟議三卷

干寶　雜議五卷

荀顗等　晉雜議十卷

王景之　要典三十九卷

王逸　齊典四卷

丘仲孚　皇典五卷

盧諶　雜祭注六卷

盧辨　祀典五卷

徐爰　家儀一卷

王儉　吉儀二卷　又　弔答書儀十卷　皇室書儀七卷

鮑衡卿　皇室書儀十三卷

謝朏　書筆儀二十卷

謝允　書儀二卷

唐瑾　婦人書儀八卷

童悟十三卷

紀僧真　玉璽譜一卷

姚察　傳國璽十卷

徐令言　玉璽正録一卷

張大頤　明堂儀一卷

姚璠等　明堂儀注三卷

皇太子方岳亞獻儀二卷

蕭子雲　東宮雜事二十卷

陸開明　宇文愷　東宮典記七十卷

令狐德棻　皇帝封禪儀六卷

孟利貞　封禪録十卷

裴守真　神岳封禪儀注十卷

郭山惲　大享明堂儀注二卷

親享太廟儀注三卷

裴矩　虞世南　大唐書儀十卷

竇維鋈　吉凶禮要二十卷

韋叔夏　五禮要記三十卷

王懿中　禮儀注八卷

楊炯　家禮十卷

大唐儀禮一百卷　長孫无忌、房玄齡、魏徵、李百藥、顏師古、令狐德棻、孔穎達、于志寧等撰,《吉禮》六十篇,《賓禮》四篇,《軍禮》二十篇,《嘉禮》四十二篇,《凶禮》六篇,《國恤》五篇,揔一百三十篇。貞觀十一年上。

永徽五禮一百三十卷　長孫无忌、侍中許敬宗、兼中書令李義府、黄門侍郎劉祥道、許圉師、太常卿韋琨、博士蕭楚材、孔志約等撰。削《國恤》,以爲豫凶事非臣子所宜論次,定著二百九十九篇。顯慶三年上。

武后　紫宸禮要十卷

開元禮一百五十卷　開元中,通事舍人王喦請改《禮記》,附唐制度,張説引喦就集賢書院詳議。説奏:“《禮記》,漢代舊文,不可更,請脩貞觀、永徽五禮爲《開元禮》。”命賈登、張烜、施敬本、李鋭、王仲丘、陸善經、洪孝昌撰緝,蕭嵩揔之。

蕭嵩　開元禮義鏡一百卷

開元禮京兆義羅十卷

開元禮類釋二十卷

開元禮百問二卷

顏真卿　禮樂集十卷　禮儀使所定。

韋渠牟　貞元新集開元後禮二十卷

柳逞　唐禮纂要六卷

韋公肅　禮閣新儀二十卷　元和人。

王彥威　元和曲臺禮三十卷　又　續曲臺禮三十卷

李弘澤　直禮一卷　林甫孫，開成太府卿。

韋述　東封記一卷

李襲譽　明堂序一卷

負半千　明堂新禮三卷

李嗣真　明堂新禮十卷

王涇　大唐郊祀錄十卷　貞元九年上，時爲太常禮院脩撰。

裴瑾　崇豐二陵集禮　卷亡。瑾，字封叔，光庭曾孫，元和吉州刺史。

王方慶　三品官祔廟禮二卷　又　古今儀集五十卷

孟詵　家祭禮一卷

徐閏　家祭儀一卷

范傳式　寢堂時饗儀一卷

鄭正則　祠享儀一卷

周元陽　祭錄一卷

賈頊　家薦儀一卷

盧弘宣　家祭儀　卷亡。

孫氏　仲享儀一卷　孫日用。

劉孝孫　二儀實錄一卷

袁郊　二儀實錄衣服名義圖一卷　又　服飾變古元錄一卷　字
之儀，滋子也。昭宗翰林學士。

王晉　使範一卷

戴至德　喪服變服一卷

張戩　喪儀纂要九卷

孟詵　喪服正要二卷

商价　喪禮極議一卷

張薦　五服圖　卷亡。

仲子陵　五服圖十卷　貞元九年上。

裴茞　内外親族五服儀二卷　又　書儀三卷　朱儔注。茞，元和太常
少卿。

葬王播儀一卷

鄭氏　書儀二卷　鄭餘慶。

裴度　書儀二卷

杜有晉　書儀二卷

右儀注類六十一家，一百部，一千四百六十七卷。　失姓名三
十二家，竇維鋈以下不著録四十九家，八百九十三卷。

漢建武律令故事三卷

漢名臣奏二十九卷

廷尉決事二十卷

廷尉駮事十一卷

廷尉雜詔書二十六卷

南臺奏事二十二卷

應劭　漢朝議駮三十卷

陳壽　漢名臣奏事三十卷

晉駮事四卷

晉彈事九卷

賈充　杜預　刑法律本二十一卷　又　晉令四十卷

宗躬　齊永明律八卷

蔡法度　梁律二十卷　又　梁令三十卷

梁科二卷　條鈔晉宋齊梁律二十卷

范泉等　陳律九卷　又　陳令三十卷　陳科三十卷

趙郡王叡　北齊律二十卷　令八卷

麟趾格四卷　文襄帝時撰。

趙肅等　周律二十五卷

蘇綽　大統式三卷

張斐　律解二十卷

劉邵　律略論五卷

高熲等　隋律十二卷

牛弘等　隋開皇令三十卷　隋大業律十八卷　武德律十二卷　又　式十四卷　令三十一卷　尚書左僕射裴寂、右僕射蕭瑀、大理卿崔善爲、給事中王敬業、中書舍人劉林甫、顏師古、王孝達、涇州別駕靖延、太常丞丁孝烏、隋大理丞房軸、天策上將府參軍李桐客、太常博士徐上機等奉詔撰定。以五十三條附新律，餘無增改。武德七年上。

貞觀律十二卷　又　令二十七卷　格十八卷　留司格一卷　式三十三卷　中書令房玄齡、右僕射長孫无忌、蜀王府法曹參軍裴弘獻等奉詔撰定。凡律五百條，令一千五百四十六條，格七百條。以尚書省諸曹爲目，其常務留本司者，著爲《留司格》。

永徽律十二卷　又　式十四卷　式本四卷　令三十卷

散頒天下格七卷

留本司行格十八卷　太尉无忌、司空李勣、左僕射于志寧、右僕射張行成、侍中高季輔、黃門侍郎宇文節、柳奭、尚書右丞段寶玄、太常少卿令狐德棻、吏部侍郎高敬言、刑部侍郎劉燕客、給事中趙文恪、中書舍人李友益、少府丞張行實、太府丞王文端、大理丞元紹、刑部郎中賈敏行等奉詔撰定。分格爲二部，以曹司常務爲"行格"，天下所共爲"散頒格"。永徽三年上。至龍朔二年，詔司刑太常伯源直心、少常伯李敬玄、司刑大夫李文禮復刪定，唯改官曹局名而已。題行格曰"留本司行格中本"，散頒格曰"天下散行格中本"。

律疏三十卷　无忌、李勣、于志寧、刑部尚書唐臨、大理卿段寶玄、尚書右丞劉燕客、
御史中丞賈敏行等奉詔撰，永徽四年上。

永徽留本司格後十一卷　左僕射劉仁軌、右僕射戴至德、侍中張文瓘、中書令
李敬玄、右庶子郝處俊、黃門侍郎來恒、左庶子高智周、右庶子李義琰、吏部侍郎裴行
儉、馬載、兵部待郎蕭德昭、裴炎、工部侍郎李義琛、刑部侍郎張楚金、金部郎中盧律
師等奉詔撰，儀鳳二年上。

趙仁本　法例二卷

崔知悌　法例二卷

垂拱式二十卷　又　格十卷

新格二卷

散頒格三卷

留司格六卷　秋官尚書裴居道、夏官尚書同鳳閣鸞臺三品岑長倩、鳳閣侍郎同鳳閣
鸞臺平章事韋方質、刪定官袁智弘、咸陽尉王守慎奉詔撰。加計帳、勾帳二式。垂拱
元年上新格，武后製序。

刪垂拱式二十卷　又　散頒格七卷　中書令韋安石、禮部尚書同中書門
下三品祝欽明、尚書右丞蘇瓌、兵部郎中狄光嗣等刪定，神龍元年上。

太極格十卷　户部尚書同中書門下三品岑羲、中書侍郎同中書門下三品陸象先、右
散騎常侍徐堅、右司郎中唐紹、刑部員外郎邵知新、大理寺丞陳義海、評事張名播、右
衛長史張處斌、左衛率府倉曹參軍羅思貞、刑部主事閻義顓等刪定，太極元年上。

開元前格十卷　兵部尚書兼紫微令姚崇、黃門監盧懷慎、紫微侍郎兼刑部尚書李
乂、紫微侍郎蘇頲、舍人吕延祚、給事中魏奉古、大理評事高智静、韓城縣丞侯郢琟、
瀛州司法參軍閻義顓等奉詔刪定，開元三年上。

開元後格十卷　又　令三十卷　式二十卷　吏部侍郎兼侍中宋璟、中
書侍郎蘇延頁、尚書左丞盧從愿、吏部侍郎裴漼、慕容珣、户部侍郎楊滔、中書舍人劉
令植、大理司直高智静、幽州司功參軍侯郢琟等刪定，開元七年上。

格後長行勑六卷　侍中裴光庭、中書令蕭嵩等刪次，開元十九年上。

開元新格十卷

格式律令事類四十卷　中書令李林甫、侍中牛仙客、御史中丞王敬從、左武衛胄曹
參軍崔晃、衢州司户參軍直中書陳承信、酸棗尉直刑部俞元杞等刪定，開元二十五
年上。

度支長行旨五卷

王行先　律令手鑑二卷

元泳　式苑四卷

裴光庭　唐開元格令科要一卷

元和格勑三十卷　權德輿、劉伯芻等集。

元和删定制勑三十卷　許孟容、韋貫之、蔣乂、柳登等集。

大和格後勑四十卷

格後勑五十卷　初，前大理丞謝登纂，凡六十卷。詔刑部詳定，去其繁複。大和七年上。

狄兼謩　開成詳定格十卷

大中刑法揔要格後勑六十卷　刑部侍郎劉瑑等纂。

張戣　大中刑律統類十二卷

盧紓　刑法要録十卷　裴向上之。

張佖　判格三卷

李崇　法鑑八卷

　　右刑法類二十八家，六十一部，一千四卷。　失姓名九家，自《開元新格》以下不著録十三家，三百二十三卷。

劉向　七略別録二十卷

劉歆　七略七卷

荀勗　晉中經簿十四卷　又　新撰文章家集叙五卷

丘深之　晉義熙以來新集目録三卷

王儉　宋元徽元年四部書目録四卷

今書七志七十卷　賀縱補注。

阮孝緒　七録十二卷

丘賓卿　梁天監四年書目四卷

劉遵　梁東宮四部書目四卷

陳天嘉四部書目四卷

牛弘　隋開皇四年書目四卷

王劭　隋開皇二十年書目四卷

殷淳　四部書目序録三十九卷

楊松珍　史目三卷

摯虞　文章志四卷

宋明帝　晉江左文章志二卷

沈約　宋世文章志二卷

傅亮　續文章志二卷

名手畫録一卷

虞龢　法書目録六卷

羣書四録二百卷　殷踐猷、王愜、韋述、余欽、毋煚、劉彦直、王灣、王仲丘撰,元行冲上之。

母煚　古今書録四十卷

韋述　集賢書目一卷

李肇　經史釋題二卷

宗諫　注十三代史目十卷

常寶鼎　文選著作人名目三卷

尹植　文樞祕要目七卷　鈔《文思博要》、《藝文類聚》爲祕要。

唐書叙例目録一卷

孫玉汝　唐列聖實録目二十五卷

吳氏西齋書目一卷　吳兢。

河南東齋史目三卷

蔣彧　新集書目一卷

杜信　東齋籍二十卷　字立言,元和國子司業。

右目録類十九家,二十二部,四百六卷。　失姓名二家,母煚以下不著録十二家,一百一十四卷。

宋衷　世本四卷　世本別錄一卷

宋均　注帝譜世本七卷

王氏　注世本譜二卷

漢氏帝王譜二卷

齊永元中表簿六卷

梁大同四年表簿三卷

齊梁宗簿三卷

梁親表譜五卷

後魏皇帝宗族譜四卷

元暉業　後魏辨宗錄二卷

後魏譜二卷

後魏方司格一卷

齊高氏譜六卷

周宇文氏譜一卷

賈冠　國親皇太子親傳四卷

王儉　百家集譜十卷

王僧孺　百家譜三十卷　又　十八州譜七百一十二卷

徐勉　百官譜二十卷

賈執　百家譜五卷　又　姓氏英賢譜一百卷

何承天　姓苑十卷

賈希鏡　氏族要狀十五卷

官族傳十五卷

冀州姓族譜七卷

洪州諸姓譜九卷

袁州諸姓譜七卷

司馬氏世家二卷

楊氏譜一卷

蘇氏譜一卷

孫氏譜記十五卷

韋氏譜十卷　韋鼎。

裴氏家牒二十卷　裴守真。

大唐氏族志一百卷　高士廉、韋挺、岑文本、令狐德棻撰。

姓氏譜二百卷　許敬宗、李義府、孔志約、陽仁卿、史玄道、呂才撰。

柳沖　大唐姓族系録二百卷

路敬淳　衣冠譜六十卷　又　著姓略記二十卷

王元感　姓氏實論十卷

崔日用　姓苑略一卷

岑義　氏族録　卷亡。

王方慶　王氏家牒十五卷　又　家譜二十卷　王氏著録十卷

韋述　開元譜二十卷

國朝宰相甲族一卷

百家類例三卷

唐新定諸家譜録一卷　李林甫等。

林寶　元和姓纂十卷

寶從一　系纂七卷

陳湘　姓林五卷

孔至　姓氏雜録一卷

李利涉　唐官姓氏記五卷　初，十卷。利涉貶南方，亡其半。　又　編古
命氏三卷

柳璨　姓氏韻略六卷

蕭穎士　梁蕭史譜二十卷

柳芳　永泰新譜二十卷　一作《皇室新譜》。

柳璟　續譜十卷

皇唐玉牒一百一十卷　開成二年，李衢、林寶撰。

唐皇室維城録一卷

李匡文　天潢源派譜一卷　又　唐偕日譜一卷　玉牒行樓一
　卷　皇孫郡王譜一卷

元和縣主譜一卷　家譜一卷

李衢　大唐皇室新譜一卷

黃恭之　孔子系葉傳二卷

謝氏家譜一卷

東萊呂氏家譜一卷

薛氏家譜一卷

顏氏家譜一卷

虞氏家譜一卷

孫氏家譜一卷

吳郡陸氏宗系譜一卷　陸景獻。

劉氏譜考三卷

劉氏家史十五卷　並劉子玄。

紀王慎家譜一卷

蔣王惲家譜一卷

李用休家譜二卷　紀王慎之後。

徐氏譜一卷　徐商。

徐義倫家譜一卷

劉晏家譜一卷

劉輿家譜一卷

周長球家譜一卷

施氏家譜二卷

萬氏譜一卷

滎陽鄭氏家譜一卷

竇氏家譜一卷　懿宗時國子博士竇澄之。

鮮于氏家譜一卷

趙郡東祖李氏家譜二卷

李氏房從譜一卷

韋氏諸房略一卷　韋絢。

諱行録一卷

　　　右譜牒類十七家,三十九部,一千六百一十七卷。　王元感以
下不著録二十二家,三百三十三卷。

三輔黃圖一卷

三輔舊事三卷

漢宮閣簿三卷

洛陽宮殿簿三卷

葛洪　西京雜記二卷

薛冥　西京記三卷

潘岳　關中記一卷

陸機　洛陽記一卷

戴延之　洛陽記一卷

後魏洛陽記五卷

楊佺期　洛城圖一卷

鄧基　陸澄　地理志一百五十卷

任昉　地記二百五十二卷

虞茂　區宇圖一百二十八卷

郎蔚之　隋圖經集記一百卷

周地圖一百三十卷

雜記十二卷

雜地志五卷

地理志書鈔十卷

地域方丈圖一卷

地域方尺圖一卷

職方記十六卷

晉太康土地記十卷

太康州郡縣名五卷

後魏諸州記二十卷

周處　風土記十卷

圈稱　陳留風俗傳三卷

揚雄　蜀王本記一卷

譙周　三巴記一卷

李充　益州記三卷

郭仲產　荊州記二卷

鮑堅　南雍州記三卷

阮叙之　南兖州記一卷

山謙之　南徐州記二卷

劉損之　京口記二卷

孫處玄　潤州圖注二十卷

雷次宗　豫章記一卷

鄭緝之　東陽記一卷

張僧監　潯陽記二卷

李叔布　齊州記四卷

張勃　吳地記一卷

晏模　齊地記二卷

陸翽　鄴中記二卷

劉芳　徐地錄一卷

梁元帝　職貢圖一卷　又　荊南地志二卷

王範　交廣二州記一卷

樊文深　中岳潁州志五卷

秣陵記二卷

湘州記四卷

湘州圖副記一卷

京邦記二卷

分吳會丹楊三郡記二卷

西河舊事一卷

闞駰　十三州志十四卷

顧野王　輿地志三十卷　又　十國都城記十卷

周明帝　國都城記九卷

郭璞　注山海經二十三卷　又　山海經圖讚二卷

山海經音二卷

桑欽　水經三卷　一作郭璞撰。

酈道元　注水經四十卷

僧道安　四海百川水源記一卷　又一卷　江圖二卷

庾仲雍　江記五卷　又　漢水記五卷　尋江源記五卷

劉澄之　永初山川古今記二十卷

李氏　宜都山川記一卷

沈瑩　臨海水土異物志一卷

楊孚　交州異物志一卷

陳祈暢　異物志一卷

萬震　南州異物志一卷

朱應　扶南異物志一卷

京兆郡方物志二十卷

諸郡土俗物產記十九卷

涼州異物志二卷

廟記一卷

薛泰　興駕東幸記一卷

諸葛潁　巡撫揚州記七卷

戴祚　西征記二卷

郭緣生　述征記二卷

姚最　述行記二卷

沈懷文　隨王入沔記十卷

魏聘使行記五卷

李彤　聖賢塚墓記一卷

宋雲　魏國以西十一國事一卷

沈懷遠　南越志五卷

程士章　西域道里記三卷

常駿等　赤土國記二卷

王玄策　中天竺國行記十卷

僧智猛　游行外國傳一卷

僧法盛　歷國傳二卷

日南傳一卷

林邑國記一卷

真臘國事一卷

交州以來外國傳一卷

奉使高麗記一卷

西南蠻入朝首領記一卷

裴矩　高麗風俗一卷

鄧行儼　東都記三十卷　貞觀著作郎。

括地志五百五十卷　又　序略五卷　魏王泰命著作郎蕭德言、秘書郎顧
胤、記室參軍蔣亞卿、功曹參軍謝偃、蘇勗撰。

長安四年十道圖十三卷

開元三年十道圖十卷

劒南地圖二卷

李播　方志圖　_{卷亡。}

西域國志六十卷　_{高宗遣使分往康國、吐火羅，訪其風俗物産，畫圖以聞。詔史}
　官撰次，許敬宗領之，顯慶三年上。

李吉甫　元和郡縣圖誌五十四卷　又　十道圖十卷　古今地
　名三卷　删水經十卷

梁載言　十道志十六卷

王方慶　九嶷山志十卷

賈耽　地圖十卷　又　皇華四達記十卷　古今郡國縣道四夷
　述四十卷　關中隴右山南九州別錄六卷　貞元十道錄四卷
　　吐蕃黄河錄四卷

韋澳　諸道山河地名要略九卷　_{一作《處分語》。}

劉之推　文括九州要略三卷

郡國志十卷

馬敬寔　諸道行程血脉圖一卷

鄧世隆　東都記三十卷

韋機　東都記二十卷

韋述　兩京新記五卷　兩京道里記三卷

李仁實　戎州記一卷

盧鴻　嵩山記一卷　_{天寶人。}

馬溫　鄴都故事二卷　_{肅、代時人。}

劉公鋭　鄴城新記三卷

張周封　華陽風俗錄一卷　_{字子望，西川節度使李德裕從事，試協律郎。}

盧求　成都記五卷　_{西川節度使白敏中從事。}

鄭暐　益州理亂記三卷

李璋　太原事迹記十四卷

張文規　吳興雜錄七卷

房千里　南方異物志一卷

孟琯　嶺南異物志一卷

劉恂　嶺表錄異三卷

余知古　渚宮故事十卷　文宗時人。

吳從政　襄沔記三卷

張氏　燕吳行役記二卷　宣宗時人，失名。

韋宙　零陵錄一卷

張密　廬山雜記一卷

張容　九江新舊錄三卷　咸通人。

莫休符　桂林風土記三卷

段公路　北戶雜錄三卷　文昌孫。

林諝　閩中記十卷

裴矩　又撰　西域圖記三卷

顧愔　新羅國記一卷　大曆中，歸崇敬使新羅，愔爲從事。

張建章　渤海國記三卷

戴斗　諸蕃記一卷

達奚通　海南諸蕃行記一卷

袁滋　雲南記五卷

李繁　北荒君長錄三卷

高少逸　四夷朝貢錄十卷

呂述　黠戛斯朝貢圖傳一卷　字脩業，會昌祕書少監，商州刺史。

樊綽　蠻書十卷　咸通嶺南西道節度使蔡襲從事。

竇滂　雲南別錄一卷　雲南行記一卷

徐雲虔　南詔錄三卷　乾符中人。

　　右地理類六十三家，一百六部，一千二百九十二卷。　失姓名
三十一家，李播以下不著錄五十三家，九百八十九卷。

三

丙部子録,其類十七:一曰儒家類,二曰道家類,三曰法家類,四曰名家類,五曰墨家類,六曰縱橫家類,七曰雜家類,八曰農家類,九曰小説類,十曰天文類,十一曰曆筭類,十二曰兵書類,十三曰五行類,十四曰雜藝術類,十五曰類書類,十六曰明堂經脉類,十七曰醫術類。凡著録六百九家,九百六十七部,一萬七千一百五十二卷。不著録五百七家,五千六百一十五卷。

晏子春秋七卷 晏嬰。

曾子二卷 曾參。

子思子七卷 孔伋。

公孫尼子一卷

趙岐　注孟子十四卷 孟軻。

劉熙　注孟子七卷

鄭玄　注孟子七卷

綦母邃　注孟子七卷

荀卿子十二卷 荀況。

董子一卷 董無心。

魯連子一卷 魯仲連。

陸賈　新語二卷

賈誼　新書十卷

桓寬　鹽鐵論十卷

劉向　新序三十卷　又　説苑三十卷

揚子法言六卷　揚雄。

宋衷　注法言十卷

李軌　注法言三卷

陸績　注揚子太玄經十二卷

虞翻　注太玄經十四卷

范望　注太玄經十二卷

宋仲孚　注太玄經十二卷

蔡文邵　注太玄經十卷

桓子新論十七卷　桓譚。

王符　潛夫論十卷

仲長子昌言十卷　仲長統。

荀悅　申鑒五卷

魏子三卷　魏朗。

魏文帝　典論五卷

徐氏中論六卷　徐幹。

王粲　去伐論集三卷

王肅　政論十卷

杜氏體論四卷　杜恕。

顧子新論五卷　顧譚。

文禮通語十卷　殷興續。

諸葛亮　集誡二卷

陸景　典訓十卷

譙子法訓八卷　又　五教五卷　譙周。

王嬰　古今通論三卷

周生烈子五卷

袁子正論二十卷　又　正書二十五卷　袁準。

孫氏成敗志三卷　孫毓。

夏侯湛　新論十卷

楊泉　物理論十六卷　又　太元經十四卷　_{劉緝注。}

華譚　新論十卷

虞喜　志林新書二十卷　又　後林新書十卷

顧子義訓十卷　_{顧夷。}

蔡洪　清化經十卷

干寶　正言十卷　又　立言十卷

蔡韶　閑論二卷

呂竦　要覽五卷

周捨　正覽六卷

劉徽　魯史欹器圖一卷

綦母氏　誡林三卷

顏氏家訓七卷　_{顏之推。}

李穆叔　典言四卷

王滂　百里昌言二卷

崔子至言六卷　_{崔靈童。}

盧辯　墳典三十卷

王劭　讀書記三十二卷

王通　中説五卷

辛德源　正訓二十卷

太宗序志一卷　又　帝範四卷　_{賈行注。}

高宗　天訓四卷

武后　紫樞要録十卷　又　臣軌二卷　百寮新誡五卷　青宮
　紀要三十卷　少陽政範三十卷　列藩正論三十卷

章懷太子　春宮要録十卷　又　脩身要覽十卷　君臣相起發
　事三卷

魏徵　諫事五卷　又　自古諸侯王善惡録二卷

張大玄　平臺百一寓言三卷

楊相如　君臣政理論三卷

陸善經　注孟子七卷

張鎰　孟子音義三卷

楊倞　注荀子二十卷　汝士子，大理評事。

王涯　注太玄經六卷

員俶　太玄幽贊十卷　開元四年京兆府童子，進書，召試及第，授散官文學，直
弘文館。

柳宗元　注揚子法言十三卷

李襲譽　五經妙言四十卷

鄭澣　經史要錄二十卷

劉貺　續說苑十卷

杜正倫　百行章一卷

憲宗　前代君臣事跡十四篇

武后　訓記雜載十卷　采《青宮紀要》、《維城典訓》、《古今內範》、《內範要略》等
書爲《雜載》云。

維城典訓二十卷

褚无量　翼善記　卷亡。

裴光庭　搖山往則一卷　又　維城前軌一卷

丁公著　皇太子諸王訓十卷

六經法言二十卷　韋處厚、路隋撰。

崔郾　諸經纂要十卷

于志寧　諫苑二十卷

王方慶　諫林二十卷

楊浚　聖典三卷　校書郎，開元中上。

張九齡　千秋金鏡錄五卷

唐次　辨謗略三卷

元和辨謗略十卷　令狐楚、沈傳師、杜元穎撰。

裴潾　大和新脩辨謗略三卷

李仁實　格論三卷

趙冬曦　王政三卷　景龍二年上。

馮中庸　政録十卷　開元十九年上，授汜水尉。

賈子一卷　開元中藍田尉。失名。

儲光羲　正論十五卷　兗州人，開元進士第，又詔中書試文章，歷監察御史，安
禄山反，陷賊自歸。

牛希濟　理源二卷

陸質　君臣圖翼二十五卷

李吉甫　古今説苑十一卷

李德裕　御臣要略　卷亡。

丘光庭　康教論一卷

元子十卷　又　浪説七篇　漫説七篇　元結。

杜信　元和子二卷

林慎思　伸蒙子三卷　咸通中人。

冀子五卷　冀重，字子泉，定州容城人。廣明脩武令。

崔懸　儒玄論三卷　字敬之，後魏白馬侯浩七世孫，中和光禄丞。

右儒家類六十九家，九十二部，七百九十一卷。　陸善經以下不著録
三十九家，三百七十一卷。

鬻子一卷　鬻熊。

老子道德經二卷　李耳。　又　三卷

河上公　注老子道德經二卷

王弼　注新記玄言道德二卷　又　老子指例略二卷

蜀才　注老子二卷

鍾會　注二卷

羊祜　注二卷　又　解釋四卷

孫登　注老子二卷

王尚　注二卷

袁真　注二卷

張憑　注二卷

劉仲融　注二卷

陶弘景　注四卷

樹鍾山　注二卷

李允愿　注二卷

陳嗣古　注二卷

僧惠琳　注二卷

惠嚴　注二卷

鳩摩羅什　注二卷

義盈　注二卷

程韶　集注二卷

任真子　集解四卷

張道相　集注四卷

盧景裕　梁曠等　注二卷

安丘望之　老子章句二卷　又　道德經指趣三卷

王肅　玄言新記道德二卷

梁曠　道德經品四卷

嚴遵　指歸十四卷

何晏　講疏四卷　又　道德問二卷

梁武帝　講疏四卷　又　講疏六卷

顧歡　道德經義疏四卷　又　義疏治綱一卷

孟智周　義疏五卷

戴詵　義疏六卷

葛洪　老子道德經序訣二卷

韓莊　玄旨八卷

劉遺民　玄譜一卷

節解二卷

章門一卷

李軌　老子音一卷

鶡冠子三卷

張湛　注列子八卷　_{列禦寇。}

郭象　注莊子十卷　_{莊周。}

向秀　注二十卷

崔譔　注十卷

司馬彪　注二十一卷　又　注音一卷

李頤　集解二十卷

王玄古　集解二十卷

李充　釋莊子論二卷

馮廓　老子指歸十三卷　又　莊子古今正義十卷

梁簡文帝　講疏三十卷

王穆　疏十卷　又　音一卷

莊子疏七卷

文子十二卷

廣成子十二卷　_{商洛公撰，張太衡注。}

唐子十卷　_{唐滂。}

蘇子七卷　_{蘇彥。}

宣子二卷　_{宣聘。}

陸子十卷　_{陸雲。}

抱朴子内篇二十卷　_{葛洪。}

孫子十二卷　_{孫綽。}

苻子三十卷　_{苻朗。}

賀子十卷 _{賀道養。}

牟子二卷 _{牟融。}

傅弈　注老子二卷

楊上善　注老子道德經二卷　又　注莊子十卷

老子指略論二卷 _{太子文學。}

辟閭仁謂　注老子二卷 _{聖曆司禮博士。}

賈大隱　老子述義十卷

陸德明　莊子文句義二十卷

玄宗　注道德經二卷　又　疏八卷 _{天寶中加號《玄通道德經》，世不稱之。}

盧藏用　注老子二卷　又　注莊子內外篇十二卷

邢南和　注老子 _{開元二十一年上。}

馮朝隱　注老子

白履忠　注老子

李播　注老子

尹知章　注老子

傅弈　老子音義 _{並卷亡。}

陸德明　老子疏十五卷

逄行珪　注鬻子一卷 _{鄭縣尉。}

陳庭玉　老子疏 _{開元二十年上，授校書郎。卷亡。}

陸希聲　道德經傳四卷

吳善經　注道德經二卷 _{貞元中人。}

楊上善　道德經三略論三卷

道士成玄英　注老子道德經二卷　又　開題序訣義疏七卷
注莊子三十卷　疏十二卷 _{玄英，字子實，陝州人，隱居東海。貞觀五年，召至京師。永徽中，流郁州。書成，道王元慶遣文學賈鼎就授大義，嵩高山人李利涉爲序，唯《老子注》、《莊子疏》著錄。}

張游朝　南華象罔説十卷　又　沖虛白馬非馬證八卷　<small>張志和父。</small>

孫思邈　注老子　<small>卷亡。</small>　又　注莊子

柳縱　注莊子　<small>開元二十年上，授章懷太子廟丞。</small>

尹知章　注莊子　<small>並卷亡。</small>

甘暉　魏包　注莊子　<small>卷亡。開元末奉詔注。</small>

元載　南華通微十卷。

張志和　太易十五卷　又　玄真子十二卷　<small>韋詣作《内解》。</small>

陳庭玉　莊子疏　<small>卷亡。</small>

道士李舍光　老子莊子周易學記三卷　又　義略三卷　<small>舍光，揚州江都人，本姓弘，避孝敬皇帝諱改焉，天寶閒人。</small>

張隱居　莊子指要三十三篇　<small>名九垓，號渾淪子，代、德時人。</small>

帥夜光　三玄異義三十卷　<small>幽州人，開元二十年上，授校書郎，直國子監。</small>

徐靈府　注文子十二卷

李暹　訓注文子十二卷

王士元　亢倉子二卷　<small>天寶元年，詔號《莊子》爲《南華真經》，《列子》爲《沖虛真經》，《文子》爲《通玄真經》，《亢桑子》爲《洞靈真經》。然《亢桑子》求之不獲，襄陽處士王士元謂：“《莊子》作‘庚桑子’，太史公，《列子》作‘亢倉子’，其實一也。”取諸子文義類者補其亡。</small>

无能子三卷　<small>不著人名氏，光啓中隱民間。</small>

凡神仙三十五家，五十部，三百四十一卷。　<small>失姓名十三家，自道藏音義以下不著録六十二家，二百六十五卷。</small>

尹喜　高士老君内傳三卷

玄景先生　老子道德簡要義五卷

梁簡文帝　老子私記十卷

戴詵　老子西升經義一卷

韋處玄　集解老子西升經二卷　老子黃庭經一卷　老子探真經一卷　老君科律一卷　老子宣時誡一卷　老子入室經一

卷　老子華蓋觀天訣一卷　老子消水經一卷　老子神策百
二十條經一卷

鬼谷先生　關令尹喜傳一卷　<small>四皓注。</small>

清虛真人王君內傳一卷

王萇　三天法師張君內傳一卷

李遵　茅君內傳一卷

吕先生　太極左仙公葛君內傳一卷

華嶠　紫陽真人周君傳一卷

趙昇等　仙人馬君陰君內傳一卷

鄭雲千　清虛真人裴君內傳一卷

范邈　紫虛元君南岳夫人內傳一卷

項宗　紫虛元君魏夫人內傳一卷

王羲之　許先生傳一卷

九華真妃內記一卷

宋都能　嵩高少室寇天師傳三卷

王喬傳一卷

漢武帝傳二卷

劉向　列仙傳二卷

葛洪　神仙傳十卷

見素子　洞仙傳十卷

東方朔　神異經二卷　<small>張華注。</small>　又　十洲記一卷

周季通　蘇君記一卷

梁曠　南華仙人莊子論三十卷

南華真人道德論三卷

任子道論十卷　<small>任嘏。</small>

顧道士論三卷　<small>顧歡。</small>

姞威　渾輿經一卷

杜夷　幽求子三十卷

張譏　玄書通義十卷

陶弘景　登真隱訣二十五卷　又　真誥一卷

張湛　養生要集十卷

養性傳二卷

張太衡　無名子一卷

劉道人　老子玄譜一卷

劉無待　同光子八卷　侯儼注。

靈人辛玄子自序一卷

華陽子自序一卷　茅處玄。

無上祕要七十二卷

道要三十卷

馬樞　學道傳二十卷

郭憲　漢武帝別國洞冥記四卷

道藏音義目錄一百一十三卷　崔湜、薛稷、沈佺期、道士史崇玄等撰。

集注陰符經一卷　太公、范蠡、鬼谷子、張良、諸葛亮、李淳風、李筌、李洽、李鑒、李銳、楊晟。

李靖　陰符機一卷

道士李少卿　十異九迷論一卷

道士劉進喜　老子通諸論一卷　又　顯正論一卷

張果　陰符經太無傳一卷　又　陰符經辨命論一卷　氣訣一卷

神仙得道靈藥經一卷

罔象成名圖一卷

丹砂訣一卷　開元二十二年上。

韋弘　陰符經正卷一卷

李筌　驪山母傳陰符玄義一卷　筌,號少室山達觀子,於嵩山虎口巖石壁得《黃帝陰符》本,題云:"魏道士寇謙之傳諸名山。"筌至驪山,老母傳其説。

葉靜能　太上北帝靈文三卷

李淳風　注泰乾祕要三卷

楊上器　注太上玄元皇帝聖紀十卷

崔少元　老子心鏡一卷

皇天原太上老君現跡記一卷　文明元年老子降事。

呂氏老子昌言二卷

王方慶　神仙後傳十卷

玄晉蘇元明太清石壁記三卷　乾元中，劍州司馬纂，失名。

議化胡經狀一卷　萬歲通天元年，僧惠澄上言乞毀《老子化胡經》，勅秋官侍郎劉
如璿等議狀。

寧州通真觀二十七宿真形圖贊一卷　記天寶中，寧州羅川縣金華洞獲玉
像，皆列宿之真，唯少氏宿，改縣爲寧真事。

道士令狐見堯　正一真人二十四治圖一卷　貞元人。

孫思邈　馬陰二君內傳一卷　又　太清真人煉雲母訣二卷

攝生真錄一卷

養生要錄一卷

氣訣一卷

燒煉祕訣一卷

龍虎通元訣一卷

龍虎亂日篇一卷

幽傳福壽論一卷

枕中素書一卷

會三教論一卷

龍虎篇一卷　青羅子周希彭，少室山人孺登同注。

朱少陽　道引錄三卷　浮山隱士，代、德時人。

張志和　玄真子二卷

戴簡　真教元符三卷

楊嗣　復九徵心戒一卷

裴煜　延壽赤書一卷

紇干泉　序通解録一卷　字咸一，大中江西觀察使。

守真子秦鑑語一卷

道士張仙庭　三洞瓊綱三卷

段世貴　演正一炁化圖三卷

女子胡愔　黃庭内景圖一卷

道士司馬承禎　坐忘論一卷　又　脩生養氣訣一卷　洞元靈寶五岳名山朝儀經一卷

賈參寥　莊子通真論三卷　垂拱中，隱武陵。

白履忠　注黃庭内景經　卷亡。　又　三玄精辨論一卷

吳筠　神仙可學論一卷　又　玄綱論三卷　明真辨僞論一卷　輔正除邪論一卷　辨方正惑論一卷　道釋優劣論一卷　心目論一卷　復淳化論一卷　著生論一卷　形神可固論一卷

李延章　集鄭綽録中元論一卷　大和人。

施肩吾　辨疑論一卷　睦州人，元和進士第，隱洪州西山。

道士令狐見堯　玉笥山記一卷

道士李沖昭　南岳小録一卷

沈汾　續神仙傳三卷

道士胡慧超　神仙内傳一卷

晉洪州西山十二真君内傳一卷

李渤　真系傳一卷

李遵　茅三君内傳一卷

道士胡法超　許遜脩行傳一卷

張說　洪崖先生傳一卷　張氲先生，唐初人。

沖虛子　胡慧超傳一卷　失名。慧超，高宗時道士。

潘尊師傳一卷 師正。

蔡尊師傳一卷 名南玉，字叔寶，宋祠部尚書廓七世孫，歷金部員外郎，棄官入道。
大曆中卒。

劉谷神　葉法善傳二卷

正元師　謫仙崔少元傳二卷

陰日用　傅仙宗行記一卷 仙宗，開元資陽道士。

謝良嗣　吳天師內傳一卷 吳筠。

溫造　瞿童述一卷 大曆辰溪童子瞿柏庭升仙，造爲朗州刺史，追述其事。

李堅　東極真人傳一卷 果州謝自然。

江積　八仙傳一卷 大中後事。

王仲丘　攝生纂錄一卷

高福　攝生錄三卷。

郭霽　攝生經一卷

上官翼　養生經一卷

康仲熊　服內元氣訣一卷

氣經新舊服法三卷

康真人氣訣一卷

太无先生炁訣一卷 失名。大曆中，遇羅浮王公傳氣術。

菩提達磨胎息訣一卷

李林甫　唐朝煉大丹感應頌一卷

崔元真　靈沙受氣用藥訣一卷　又　雲母論二卷 天寶隱岷山。

劉知古　日月元樞一卷

海蟾子　元英還金篇一卷

還陽子　太還丹金虎白龍論一卷 隱士，失姓名。

陳少微　大洞鍊真寶經脩伏丹砂妙訣一卷

嚴靜　大丹至論一卷

　　凡釋氏二十五家，四十部，三百九十五卷。 失姓名一家，玄琬以下不著録七十四家，九百四十一卷。

蕭子良　净注子二十卷　<small>王融頌。</small>

僧僧祐法苑集十五卷　又　弘明集十四卷

釋迦譜十卷

薩婆多師資傳四卷

虞孝敬　高僧傳六卷　又　内典博要三十卷

僧賢明　真言要集十卷

郭瑜　脩多羅法門二十卷

駱子義　經論纂要十卷

顧歡　夷夏論二卷

甄鸞　笑道論三卷

衛元嵩　齊三教論七卷

杜乂　甄正論三卷

李思慎　心鏡論十卷

裴子野　名僧録十五卷

僧寶唱　名僧傳二十卷　又　比丘尼傳四卷

僧惠皎　高僧傳十四卷

僧道宗　續高僧傳三十二卷

陶弘景　草堂法師傳一卷

蕭回理　草堂法師傳一卷

稠禪師傳一卷

陽衒之　洛陽伽藍記五卷

費長房　歷代三寶記三卷　<small>長房，成都人，隋翻經學士。</small>

僧彦琮　崇正論六卷　又　集沙門不拜俗議六卷　福田論
　一卷

道宣　統略净住子二卷　又　通惑決疑録二卷

廣弘明集三十卷

集古今佛道論衡四卷

續高僧傳二十卷　起梁初，盡貞觀十九年。

後集續高僧傳十卷

東夏三寶感通録三卷

大唐貞觀内典録十卷

義浄　大唐西域求法高僧傳二卷

法琳　辯正論八卷　陳子良注。　又　破邪論二卷　琳，姓陳氏。太史
令傅弈請廢佛法，琳諍之，放死蜀中。

復禮　十門辨惑論二卷　永隆二年，答太子文學權無二《釋典稽疑》。

楊上善　六趣論六卷　又　三教銓衡十卷

僧玄琬　佛教後代國王賞罰三寶法一卷　又　安養蒼生論一
卷　三德論一卷　姓楊氏，新豐人。貞觀十年上。

入道方便門二卷

衆經目録五卷

鏡諭論一卷

無礙緣起一卷

十種讀經儀一卷

無盡藏儀一卷

發戒緣起二卷

法界僧圖一卷

十不論一卷

懺悔罪法一卷

禮佛儀式二卷

李師政　内德論一卷　上黨人，貞觀門下典儀。

僧法雲　辨量三教論三卷　又　十王正業論十卷　絳州人。

道宣又撰　注戒本二卷　疏記四卷　注羯磨二卷　疏記四卷

行事刪補律儀三卷 _{或六卷}

釋門正行懺悔儀三卷

釋門亡物輕重儀二卷

釋門章服儀二卷

釋門歸敬儀二卷

釋門護法儀二卷

釋氏譜略二卷

聖迹見在圖贊二卷

佛化東漸圖贊二卷

釋迦方志二卷

僧彦琮大唐京寺録傳十卷　又　沙門不敬録六卷 龍朔人,并隋有二彦琮。

玄應　大唐衆經音義二十五卷

玄惲　敬福論十卷　又　略論二卷　大小乘觀門十卷　法苑珠林集一百卷　四分律僧尼討要略五卷　金剛般若經集注三卷　百願文一卷 玄惲,本名道世。

玄範　注金剛般若經一卷　又　注二帝三藏聖教序一卷 太宗、高宗。

慧覺　華嚴十地維摩續義章十三卷 姓范氏,武德人。

行友　已知沙門傳一卷 序僧海順事。

道岳　三藏本疏二十二卷 姓孟氏,河陽人,貞觀中。

道基　雜心玄章并鈔八卷　又　大乘章鈔八卷 姓吕氏,東平人,貞觀時。

智正　華嚴疏十卷 姓白氏,安喜人,貞觀中。

慧浄　雜心玄文三十卷 姓房,隋國子博士徽遠從子。　又　俱舍論文疏三十卷　大莊嚴論文疏三十卷　法華經續述十卷

那提　大乘集議論四十卷

釋疑論一卷

注金剛般若經一卷

諸經講序一卷

玄會　義源文本四卷　又　時文釋鈔四卷　涅槃義章句四卷
字懷默，姓席氏，安定人，貞觀中。

慧休　雜心玄章鈔疏　卷亡。姓樂氏，瀛州人。

靈潤　涅槃義疏十三卷　又　玄章三卷　遍攝大乘論義鈔十
三卷　玄章三卷　姓梁氏，虞鄉人。

辯相　攝論疏五卷　辯相，居淨影寺。

玄奘　大唐西域記十二卷　姓陳氏，緱氏人。

辯機　西域記十二卷

清徹　金陵塔寺記三十六卷

師哲　前代國王脩行記五卷　盡中宗時。

大唐內典錄十卷　西明寺僧撰。

毋煚　開元內外經錄十卷　道、釋書二千五百餘部，九千五百餘卷。

智矩　寶林傳十卷

法常　攝論義疏八卷　又　玄章五卷　姓張氏，南陽人，貞觀末。

慧能　金剛般若經口訣正義一卷　姓盧氏，曲江人。

僧灌頂　私記天台智者詞旨一卷　又　義記一卷　字法雲，姓吳氏，
章安人。

道綽　淨土論二卷　姓衞氏，并州文水人。

道綽　行圖一卷

智首　五部區分鈔二十一卷　姓皇甫氏。

法礪　四分疏十卷　又　羯磨疏三卷　捨懺儀一卷　輕重儀
一卷　姓李氏，趙郡人。

慧滿　四分律疏二十卷　姓梁氏，京兆長安人。

慧旻　十誦私記十三卷　又　僧尼行事三卷　尼衆羯磨二卷

菩薩戒義疏四卷　字玄素，河東人。

空藏　大乘要句三卷　姓王氏，新豐人。

道宗　續高僧傳三十二卷

玄宗　注金剛般若經一卷

道氤　御注金剛般若經疏宣演三卷

高僧孀殘傳一卷　天寶人。

元偉　真門聖冑集五卷

僧法海　六祖法寶記一卷

辛崇　僧伽行狀一卷

神楷　維摩經疏六卷

靈湍　攝山棲霞寺記一卷

破胡集一卷　會昌沙汰佛法詔敕。

法藏　起信論疏二卷

法琳別傳二卷

大唐京師寺錄　卷亡。

玄覺　永嘉集十卷　慶州刺史魏靖編次。

懷海　禪門規式一卷

希運　傳心法要一卷　裴休集。

玄嶷　甄正論三卷

光瑤　注僧肇論二卷

李繁　玄聖蘧廬一卷

白居易　八漸通真議一卷

七科義狀一卷　雲南國使段立之問，僧悟達答。

棲賢法雋一卷　僧惠明與西川節度判官鄭愚、漢州刺史趙璘論佛書。

禪關八問一卷　楊士達問，唐宗美對。

僧一行　釋氏系錄一卷

宗密　禪源諸詮集一百一卷　又　起信論二卷　起信論鈔三

卷　原人論一卷　圓覺經大小疏鈔各一卷

楚南　般若經品頌偈一卷　又　破邪論一卷 _{大順中人。}

希還　參同契一卷

良价　大乘經要一卷　又　激勵道俗頌偈一卷

光仁　四大頌一卷　又　略華嚴長者論一卷

無殷　垂誡十卷

神清　參元語録十卷

智月　僧美三卷

惠可　達摩血脉一卷

靖邁　古今譯經圖紀四卷

智昇　續古今譯經圖紀一卷　又　續大唐内典録一卷　續古今佛道論衡一卷　對寒山子詩七卷 _{天台隱士。台州刺史閭丘胤序，僧道翹集。寒山子隱唐興縣寒山巖，於國清寺與隱者拾得往還。}

龐蘊　詩偈三卷 _{字道玄，衡州衡陽人，貞元初人，三百餘篇。}

智閑　偈頌一卷 _{二百餘篇。}

李吉甫　一行傳一卷

王彦威　内典目録十二卷

　　右道家類一百三十七家，七十四部，一千二百四十卷。 _{失姓名三家，玄宗以下不著録一百五十八家，一千二百三十八卷。}惣一百三十七家，一百七十四部。

管子十九卷 _{管仲。}

商君書五卷 _{商鞅。或作《商子》。}

慎子十卷 _{慎到撰，滕輔注。}

申子三卷 _{申不害。}

韓子二十卷 _{韓非。}

晁氏新書七卷 _{晁錯。}

董仲舒　春秋決獄十卷　_{黃氏正。}

崔氏政論六卷　_{崔寔。}

劉氏政論五卷　_{劉廙。}

阮子政論五卷　_{阮武。}

劉氏法論十卷　_{劉邵。}

桓氏世要論十二卷　_{桓範。}

陳子要言十四卷　_{陳融。}

李文博　治道集十卷

邯鄲綽　五經析疑三十卷

尹知章　注管子三十卷　又　注韓子　_{卷亡。}

杜佑　管氏指略二卷

李敬玄　正論三卷

　　右法家類十五家，十五部，一百六十六卷。　_{尹知章以下不著錄}
_{三家，三十五卷。}

鄧析子一卷

尹文子一卷

公孫龍子三卷

陳嗣古　注公孫龍子一卷

劉邵　人物志三卷

劉炳　注人物志三卷

姚信　士緯十卷

魏文帝　士操一卷

盧毓　九州人士論一卷

范謐　辨名苑十卷

僧遠年　兼名苑二十卷

賈大隱　注公孫龍子一卷

趙武孟　河西人物志十卷

杜周士　廣人物志三卷

宋璲　吳興人物志十卷　字勝之,吳興烏程人,大中時。

　　右名家類十二家,十二部,五十五卷。　趙武孟以下不著録三家,二十三卷。

墨子十五卷　墨翟。

隨巢子一卷

胡非子一卷

　　右墨家類三家,三部,一十七卷。

鬼谷子二卷　蘇秦。

樂臺　注鬼谷子三卷

梁元帝　補闕子十卷

尹知章　注鬼谷子三卷

　　右縱橫家類四家,四部,一十五卷。　尹知章不著録。

尉繚子六卷

尸子二十卷　尸佼。

吕氏春秋二十六卷　吕不韋撰,高誘注。

許慎　注淮南子二十一卷　淮南王劉安。

高誘　注淮南子二十一卷　又　淮南鴻烈音二卷

嚴尤　三將軍論一卷

王充　論衡三十卷

應劭　風俗通義三十卷

蔣子萬機論十卷　蔣濟。

杜恕　篤論四卷

鍾會　芻蕘論五卷

傅子一百二十卷 傅玄。

張儼　默記三卷　又　誓論三十卷

裴玄　新言五卷

蘇道　立言十卷

劉欽　新義十八卷

秦子三卷 秦菁。

張明　折言論二十卷

古訓十卷

孔衍　說林五卷

抱朴子外篇二十卷 葛洪。

楊偉　時務論十二卷

范泰　古今善言三十卷

徐益壽　記聞三卷

何子五卷 何楷。

劉子十卷 劉勰。

梁元帝　金樓子十卷

朱澹遠　語麗十卷　又　語對十卷

張公雜記一卷 張華。

陸士衡　要覽三卷

郭義恭　廣志二卷

崔豹　古今注三卷

伏侯　古今注三卷

江邃　釋文十卷

盧辯　稱謂五卷

謝昊　物始十卷

任昉　文章始一卷 張續補。

姚察　續文章始一卷

庾肩吾　採壁三卷^①

韋道孫　新略十卷

徐陵　名數十卷

沈約　袖中記二卷

范謐　典墳數集十卷

侯亶　祥瑞圖八卷

孟衆　張掖郡玄石圖一卷

高堂隆　張掖郡玄石圖一卷

孫柔之　瑞應圖記三卷

熊理　瑞應圖讚三卷

顧野王　符瑞圖十卷　又　祥瑞圖十卷

王劭　皇隋靈感志十卷

許善心　皇隋瑞文十四卷

何望之　諫林十卷

虞通之　善諫二卷

孟儀　子林二十卷

沈約　子鈔三十卷

庾仲容　子鈔三十卷

殷仲堪　論集九十六卷

崔宏　帝王集要三十卷

陸澄　述正論十三卷　又　缺文十卷

徐陵　文府七卷 _{宗道寧注。}

劉守敬　四部言心十卷　新舊傳四卷

古今辨作録三卷

---

① "壁"，武英殿本同，中華本據《隋書》卷三四、《舊唐書》卷四七《經籍志》及《通志》卷六八改作"璧"。

博覽十五卷

部略十五卷

翰墨林十卷

魏徵　羣書治要五十卷

麟閣詞英六十卷　高宗時勅撰。

朱敬則　十代興亡論十卷

薛克構　子林三十卷

虞世南　帝王略論五卷

劉伯莊　羣書治要音五卷

張大素　説林二十卷

王方慶　續世説新書十卷

韓潭　統載三十卷　夏綏銀節度使。貞元十三年上。

熊執易　化統五百卷　執易類九經爲書，三十年乃成，未及上，卒於西川，武元
衡將爲寫進，妻薛藏之不許。

李文成　博雅志十三卷　安國公興貴子。

元懷景　屬文要義十卷

崔玄暐　行己要範十卷

盧藏用　子書要略一卷

馬揔　意林三卷

魏氏手略二十卷　魏曅。

辛之諤　叙訓二卷　開元十七年上，授長社尉。

博聞奇要二十卷　開元武功縣人徐闓上，詔試文章，留集賢院校理。

周蒙　續古今注三卷

薛洪　古今精義十五卷

趙蕤　長短要術十卷　字太賓，梓州人。開元召之不赴。

杜佑　理道要訣十卷

賀蘭正元　用人權衡十卷　貞元十三年上。

樊宗師　魁紀公三十卷　又　樊子三十卷

郭昭度　治書十卷

朱朴　致理書十卷

蘇源　治亂集三卷　<small>唐末人。</small>

張薦　江左寓居錄　<small>卷亡。</small>

張楚金　紳誡三卷

馮伉　諭蒙一卷

庾敬休　諭善錄七卷

蕭佚　牧宰政術二卷　<small>耒陽令。</small>

魯人初　公侯政術十卷　<small>魯人名初不著姓，大中人。</small>

李知保　檢志三卷　<small>代宗信州司倉參軍。</small>

王範　續蒙求三卷

白廷翰　唐蒙求三卷　<small>廣明人。</small>

李伉　系蒙二卷

盧景亮　三足記二卷

　　右雜家類六十四家，七十五部，一千一百三卷。　<small>失姓名六家，虞世南以下不著錄三十四家，八百一十六卷。</small>

范子計然十五卷　<small>范蠡問，計然答。</small>

尹都尉書三卷

氾勝之書二卷

崔寔　四民月令一卷^①

賈思協　齊民要術十卷

宗懍　荊楚歲時記一卷

杜公贍　荊楚歲時記二卷

---

① “民”，原避唐諱作“人”，據中華本回改。下同。

杜臺卿　玉燭寶典十二卷

王氏　四時録十二卷

戴凱之　竹譜一卷

顧烜　錢譜一卷

浮丘公　相鶴經一卷

堯須跋　鷙擊録二十卷

相馬經三卷

伯樂　相馬經一卷

徐成等　相馬經二卷

諸葛潁　種植法七十七卷　又　相馬經六十卷

甯戚　相牛經一卷

范蠡　養魚經一卷

禁苑實録一卷

鷹經一卷

蠶經一卷　又　二卷

相貝經一卷

武后　兆人本業三卷

王方慶　園庭草木疏二十一卷

孫氏千金月令三卷 _{孫思邈。}

李淳風　演齊民要術 _{卷亡。}

李邕　金谷園記一卷

薛登　四時記二十卷

裴澄　乘輿月令十二卷 _{國子司業。貞元十一年上。}

王涯　月令圖一軸

李綽　秦中歲時記一卷

韋行規　保生月録一卷

韓鄂　四時纂要五卷

歲華紀麗二卷

右農家類十九家，二十六部，二百三十五卷。　失姓名六家，王方慶以下不著録十一家，六十六卷。

燕丹子一卷　燕太子。

邯鄲淳　笑林三卷

裴子野　類林三卷

張華　博物志十卷　又　列異傳一卷

賈泉　注郭子三卷　郭澄之。

劉義慶　世説八卷　又　小説十卷

劉孝標　續世説十卷

殷芸　小説十卷

劉齊　釋俗語八卷

蕭賁　辨林二十卷

劉炫　酒孝經一卷

庾元威　痤右方三卷①

侯白　啓顔録十卷

雜語五卷

戴祚　甄異傳三卷

袁王壽　古異傳三卷

祖沖之　述異記十卷

劉質　近異録二卷

干寶　搜神記三十卷

劉之遴　神録五卷

梁元帝　姸神記十卷

———————————

① "痤"，武英殿本作"坐"。

祖台之　志怪四卷

孔氏　志怪四卷

荀氏　靈鬼志三卷

謝氏　鬼神列傳二卷

劉義慶　幽明録三十卷

東陽无疑　齊諧記七卷

吳均　續齊諧記一卷

王延秀　感應傳八卷

陸杲　繫應驗記一卷

王琰　冥祥記一卷

王曼穎　續冥祥記十一卷

劉泳　因果記十卷

顏之推　冤魂志三卷　又　集靈記十卷　徵應集二卷

侯君素　旌異記十五卷

唐臨　冥報記二卷

李恕　誡子拾遺四卷

開元御集誡子書一卷

王方慶　王氏神通記十卷

狄仁傑　家範一卷

盧公家範一卷　盧僎。

蘇瓌　中樞龜鏡一卷

姚元崇　六誡一卷

事始三卷　劉孝孫、房德懋。

劉睿　續事始三卷

元結　猗玗子一卷

趙自勔　造化權輿六卷

通微子十物志一卷

吳筠　兩同書一卷

李涪　刊誤二卷

李匡文　資暇三卷

炙轂子雜録注解五卷　王叡。

蘇鶚　演義十卷　又　杜陽雜編三卷　字德祥，光啓中進士第。

柳氏家學要録二卷　柳珵。

盧光啓　初舉子一卷　字子忠，相昭宗。

劉訥言　俳諧集十五卷

陳翱　卓異記一卷　憲、穆時人。

裴紫芝　續卓異記一卷

薛用弱　集異記三卷　字中勝，長慶光州刺史。

李玫　纂異記一卷　大中時人。

李亢　獨異志十卷

谷神子　博異志三卷

沈如筠　異物志三卷

古異記一卷

劉餗　傳記三卷　一作《國史異纂》。

牛肅　紀聞十卷

陳鴻　開元升平源一卷　字大亮，貞元主客郎中。

張薦　靈怪集二卷

陸長源　辨疑志三卷

李繁　説纂四卷

戴少平　還魂記一卷　貞元待詔。

牛僧孺　玄怪録十卷

李復言　續玄怪録五卷

陳翰　異聞集十卷　唐末屯田員外郎。

鄭遂　洽聞記一卷

鍾簵　前定録一卷

趙自勤　定命論十卷　天寶祕書監。

吕道生　定命録二卷　大和中，道生增趙自勤之説。

温畬　續定命録一卷

胡璩　譚賓録十卷　字子温，文、武時人。

韋絢　劉公嘉話録一卷　絢，字文明，執誼子也，咸通義武軍節度使。劉公，禹
　錫也。

戎幕閑談一卷

趙璘　因話録六卷　字澤章，大中衢州刺史。

袁郊　甘澤謠一卷

温庭筠　乾䑛子三卷　又　採茶録一卷

段成式　酉陽雜俎三十卷

廬陵官下記二卷

康軿　劇談録三卷　字駕言，乾符進士第。

高彦休　闕史三卷

盧子史録　卷亡。　又　逸史三卷　大中時人。

李隱　大唐奇事記十卷　咸通中人。

陳劭　通幽記一卷

范攄　雲溪友議三卷　咸通時，自稱五雲溪人。

李躍　嵐齋集二十五卷

尉遲樞　南楚新聞三卷　並唐末人。

張固　幽閑鼓吹一卷

常侍言旨一卷　柳珵。

盧氏雜説一卷

桂苑叢譚一卷　馮翊子子休。

樹萱録一卷

會昌解頤四卷

松牕録一卷

芝田録一卷

玉泉子見聞真録五卷

張讀　宣室志十卷

柳祥　瀟湘録十卷

皇甫松　醉鄉日月三卷

何自然　笑林三卷

焦璐　窮神祕苑十卷

裴鉶　傳奇三卷　_{高駢從事。}

劉軻　牛羊日曆一卷　_{牛僧孺、楊虞卿事。檀欒子皇甫松序。}

補江惣白猿傳一卷

郭良輔　武孝經一卷

陸羽　茶經三卷

張又新　煎茶水記一卷

封演　續錢譜一卷

　　右小說家類三十九家，四十一部，三百八卷。　_{失姓名二家，李恕以下不著録七十八家，三百二十七卷。}

趙嬰　注周髀一卷

甄鸞　注周髀一卷

張衡　靈憲圖一卷　又　渾天儀一卷

王蕃　渾天象注一卷

姚信　昕天論一卷

石氏星經簿讚一卷　_{石申。}

虞喜　安天論一卷

甘氏四七法一卷　_{甘德。}

劉表　荊州星占二卷

劉叡　荊州星占二十卷

天文集占三卷

祖暅之　天文録三十卷

韓楊　天文要集四十卷

高文洪　天文横圖一卷

吳雲　天文雜占一卷

陳卓　四方星占一卷　又　五星占一卷　天文集占七卷

孫僧化等　星占三十三卷

史崇　十二次二十八宿星占十二卷

庾季才　靈臺祕苑一百二十卷

逢行珪　玄機内事七卷

論二十八宿度數一卷

五星兵法一卷

黃道略星占一卷

孝經内記星圖一卷

周易分野星國一卷

李淳風　釋周髀二卷　又　乙巳占十二卷　天文占一卷　大
　象元文一卷　乾坤祕奧七卷　法象志七卷　太白會運逆兆
　通代記圖一卷　淳風與袁天綱集。

武密　古今通占鏡三十卷

大唐開元占經一百一十卷　瞿曇悉達集。

董和　通乾論十五卷　和,本名純,避憲宗名改。善曆筭。裴胄爲荊南節度,館
　之,著是書云。

長慶筭五星所在宿度圖一卷　司天少監徐昇。

黃冠子李播　天文大象賦一卷　李台集解。

王希明　丹元子步天歌一卷

　　　右天文類二十家,三十部,三百六卷。　失姓名六家,李淳風《天文

占》以下不著録六家，一百七十五卷。

劉向　九章重差一卷

徐岳　九章籌術九卷　又　籌經要用百法一卷　數術記遺一卷 甄鸞注。

張丘建　籌經一卷 甄鸞注。

董泉　三等數一卷 甄鸞注。

夏侯陽　籌經一卷 甄鸞注。

甄鸞　九章籌經九卷　又　五曹籌經五卷　七曜本起曆五卷　七曜曆籌二卷　曆術一卷

韓延　夏侯陽籌經一卷　又　五曹籌經五卷

宋泉之　九經術疏九卷

劉徽　海島籌經一卷　又　九章重差圖一卷

劉祐　九章雜籌文二卷

陰景愉　七經籌術通義七卷

信都芳　器準三卷

黃鍾籌法四十卷

劉歆　三統曆一卷

四分曆一卷

推漢書律曆志術一卷

劉洪　乾象曆術三卷 闞澤注。

乾象曆三卷

楊偉　魏景初曆三卷

何承天　宋元嘉曆二卷　又　刻漏經一卷

虞劇　梁大同曆一卷

吳伯善　陳七曜曆五卷

孫僧化　後魏永安曆一卷

李業興　後魏甲子曆一卷^①

後魏武定曆一卷

宋景業　北齊天保曆一卷

北齊甲子元曆一卷

王琛　周大象曆二卷

馬顯　周甲寅元曆一卷

周甲子元曆一卷

劉孝孫　隋開皇曆一卷　又　七曜雜術二卷

李德林　隋開皇曆一卷

張胄玄　隋大業曆一卷　又　玄曆術一卷　七曜曆疏三卷

劉焯　皇極曆一卷

趙䩅　河西壬辰元曆一卷

河西甲寅元曆一卷

劉智　正曆四卷　薛夏訓。

姜氏曆術三卷

崔浩　律曆術一卷

曆日義統一卷

曆日吉凶注一卷

朱史　刻漏經一卷

宋景　刻漏經一卷

李淳風　注周髀筭經二卷　又　注九章筭術九卷　注九章筭
　　經要略一卷　注五經筭術二卷　注張丘建筭經三卷　注海
　　島筭經一卷　注五曹孫子等筭經二十卷　注甄鸞孫子筭經
　　三卷　釋祖沖之綴術五卷　皇極曆一卷

傅仁均　大唐戊寅曆一卷

---

① “一卷”，原作“送”，據武英殿本、中華本改。

唐麟德曆一卷

麟德曆出生記十卷

王孝通　緝古筭術四卷　_{太史丞李淳風注。}

筭經表序一卷

南宮説　光宅曆草十卷

瞿曇謙　大唐甲子元辰曆一卷

大唐刻漏經一卷

王勃　千歲曆　_{卷亡。}

謝察微　筭經三卷

江本　一位筭法二卷

陳從運　得一筭經七卷

魯靖　新集五曹時要術三卷

邢和璞　潁陽書三卷　_{隱潁陽石堂山。}

僧一行　開元大衍曆一卷　又　曆議十卷　曆立成十二卷
　曆草二十四卷　七政長曆三卷　心機筭術括一卷　_{黃栖巖注。}

寶應五紀曆四十卷　建中正元曆二十八卷

曹士蔿　七曜符天曆一卷　_{建中時人。}

七曜符天人元曆三卷

龍受　筭法二卷　_{貞元人。}

長慶宣明曆三十四卷

長慶宣明曆要略一卷

宣明曆超捷例要略一卷

邊岡　景福崇玄曆四十卷　_{岡稱處士。}

大衍通元鑑新曆三卷　_{貞元至大中。}

大唐長曆一卷

都利聿斯經二卷　_{貞元中，都利術士李彌乾傳自西天竺，有璩公者譯其文。}

陳輔　聿斯四門經一卷

　　右曆算類三十六家，七十五部，二百三十七卷。　<small>失姓名五家，</small>
<small>王勃以下不著錄十九家，二百二十六卷。</small>

黃帝問玄女法三卷

黃帝用兵法訣一卷

黃帝兵法孤虛推記一卷

黃帝太一兵曆一卷

黃帝太公三宮法要訣一卷

太公陰謀三卷　又　陰謀三十六用一卷　金匱二卷　六韜六
　　卷　當敵一卷

周書陰符九卷

周呂書一卷

田穰苴　司馬法三卷

魏武帝　注孫子三卷　又　續孫子兵法二卷　兵書接要七卷
　　<small>孫武。</small>

孟氏　解孫子二卷

沈友　注孫子二卷

賈詡　注吳子兵法一卷　<small>吳起。</small>

吳孫子　三十二壘經一卷

伍子胥　兵法一卷

黃石公　三略三卷　又　陰謀乘斗魁剛行軍祕一卷

成氏　三略訓三卷

張良經一卷

張氏七篇七卷　<small>張良。</small>

魏文帝　兵書要略十卷

宋高祖　兵法要略一卷

司馬彪　兵記十二卷

孔衍　兵林六卷

葛洪　兵法孤虛月時祕要法一卷

梁武帝　兵法一卷

梁元帝　玉韜十卷

劉祐　金韜十卷

蕭吉　金海四十七卷

陶弘景　真人水鏡十卷

握鏡三卷

王略　武林一卷

許子新書軍勝十卷

樂產　王佐祕書五卷

後周齊王憲　兵書要略十卷

隋高祖　新撰兵書三十卷

解忠鯉　龍武玄兵圖二卷

新兵法二十四卷

用兵要術一卷

太一兵法一卷

兵法要訣一卷

承神兵書八卷

兵機十五卷

兵書要略十卷

用兵撮要二卷

兵春秋一卷

獸鬪亭亭一卷

玉帳經一卷

三陰圖一卷

兵法雲氣推占一卷

武德圖五兵八陣法要一卷

李靖　六軍鏡三卷

員半千　臨戎孝經二卷

李淳風　縣鏡十卷

李筌　注孫子二卷　又　太白陰經十卷　青囊括一卷

杜牧　注孫子三卷

陳皞　注孫子一卷

賈林　注孫子一卷

孫鎬　注吳子一卷

裴行儉　安置軍營行陣等四十六訣一卷

李嶠　軍謀前鑒十卷

郭元振　定遠安邊策三卷

吳兢　兵家正史九卷

李處祐　兵法　開元中左衛中郎將，奉詔撰。卷亡。

鄭虔　天寶軍防録　卷亡。

劉秩　止戈記七卷

至德新議十二卷

董承祖　至德元寶玉函經十卷

李光弼　統軍靈轄祕策一卷　一作《武記》。

裴守一　軍誡三卷

裴子新令二卷　裴緒。

韓滉　天事序議一卷

韋皋　開復西南夷事狀十七卷

范傳正　西陲要略三卷

王公亮　兵書十八卷　長慶元年上。商州刺史。

行師類要七卷

燕僧利正　長慶人事軍律三卷

李渤　禦戎新録二十卷

李德裕　西南備邊録十三卷

杜希全　新集兵書要訣三卷

張道古　兵論一卷 _{字子美，景福進士第。}

　　　右兵書類二十三家，六十部，三百一十九卷。 _{失姓名十四家，李筌以下不著録二十五家，一百六十三卷。}

史蘇　沈思經一卷

焦氏周易林十六卷 _{焦贛。}

京氏周易四時候二卷 _{京房。}　又　周易飛候六卷　周易混沌

　四卷　周易錯卦八卷　逆刺三卷　費氏周易逆刺占災異十

　二卷 _{費直。}　又　周易林二卷

崔氏周易林十六卷 _{崔篆。}

鄭玄　注九宮行碁經三卷

管輅　周易林四卷　又　鳥情逆占一卷

張滿　周易林七卷

許氏周易雜占七卷 _{許峻。}

尚廣　周易雜占八卷

武氏周易雜占八卷

魏伯陽　周易參同契二卷　又　周易五相類一卷

徐氏周易筮占二十四卷 _{徐苗。}

伏曼容　周易集林十二卷

伏氏　周易集林一卷

杜氏　新易林占三卷

梁運　周易雜占筮訣文二卷

虞翻　周易集林律曆一卷

郭璞　周易洞林解三卷

梁元帝　連山三十卷　又　洞林三卷

郭氏　易腦一卷

周易立成占六卷

易林十四卷

周易新林一卷

易律曆一卷

周易服藥法一卷

易三備三卷　又三卷

易髓一卷

周易問十卷

周易雜圖序一卷

周易八卦斗內圖一卷　又三卷

周易內卦神筮法二卷

周易雜筮占四卷

老子神符易一卷

孝經元辰二卷

推元辰厄命一卷

元辰章三卷

元辰一卷

雜元辰祿命二卷

澀河祿命二卷

孫僧化　六甲開天曆一卷

翼奉　風角要候一卷

王琛　風角六情訣一卷　又　推產婦何時產法一卷

九宮行碁立成一卷

祿命書二卷

遁甲開山圖一卷

劉孝恭　風角鳥情二卷　又　禄命書二十卷　鳥情占一卷
　風角十卷

九宮經解三卷

婚嫁書二卷

登壇經一卷

太一大游曆二卷

大游太一曆一卷

曜靈經一卷

七政曆一卷

六壬曆一卷

六壬擇非經六卷

靈寶登圖一卷

梁主榮　光明符十二卷

推二十四氣曆一卷

太一曆一卷

曹氏　黃帝式經三十六用一卷

玄女式經要訣一卷

董氏　大龍首式經一卷

桓公式經一卷

宋琨　式經一卷

六壬式經雜占九卷

雷公式經一卷

太一式經二卷

太一式經雜占十卷

黃帝式用常陽經一卷

黃帝龍首經二卷

黃帝集靈三卷

黄帝降國一卷

黄帝斗曆一卷

太史公萬歳曆一卷　司馬談。

萬歳曆祠二卷

任氏　千歳曆祠二卷

舉百事要略一卷

張衡　黄帝飛鳥曆一卷

太一飛鳥曆一卷

太一九宮雜占十卷

九宮經三卷

堪輿曆注二卷

殷紹　黄帝四序堪輿一卷

地節堪輿二卷

伍子胥　遁甲文一卷

信都芳　遁甲經二卷

葛洪　三元遁甲圖三卷

許昉　三元遁甲六卷

杜仲　三元遁甲一卷

榮氏　遁甲開山圖二卷

遁甲經十卷

遁甲囊中經一卷

遁甲推要一卷

遁甲祕要一卷

遁甲九星曆一卷

遁甲萬一訣三卷

三元遁甲立成圖二卷

遁甲立成法三卷

遁甲九宮八門圖一卷

遁甲三奇三卷

陽遁甲九卷

陰遁甲九卷

遁甲三元九甲立成一卷

白澤圖一卷

武王須臾二卷

師曠占書一卷

東方朔占書一卷

淮南王萬畢術一卷

樂産　神樞靈轄十卷

柳彥詢　龜經三卷

柳世隆　龜經三卷

劉寶真　龜經一卷

王弘禮　龜經一卷

莊道名　龜經一卷

蕭吉　五行記五卷　又　五姓宅經二十卷　葬經二卷

王璨　新撰陰陽書三十卷

青烏子三卷

葬經八卷　又　十卷

葬書地脉經一卷

墓書五陰一卷

雜墓圖一卷

墓圖立成一卷

六甲冢名雜忌要訣二卷

郭氏　五姓墓圖要訣五卷

壇中伏尸一卷

胡君　玄女彈五音法相冢經一卷

百怪書一卷

祠竈經一卷

解文一卷

周宣占夢書三卷　又　二卷

孫思邈　龜經一卷　又　五兆筭經一卷　龜上五兆動搖經訣
　一卷　福禄論三卷

李淳風　四民福禄論三卷　又　玄悟經三卷　太一元鑑五卷
　占燈經一卷　注鄭玄九旗飛變一卷　三元經一卷　太一樞
　會賦一卷 玄宗注。

崔知悌　産圖一卷

呂才　陰陽書五十三卷

廣濟陰陽百忌曆一卷

大唐地理經十卷 貞觀中上。

袁天綱　相書七卷

要訣三卷

陳恭釗　天寶曆二卷 天寶中詔定。

趙同珍　壇經一卷

黎幹　蓬瀛書三卷

賈耽　唐七聖曆一卷

李遠　龍紀聖異曆一卷

竇維鋈　廣古今五行記三十卷

濮陽夏樵子　五行志五卷

禄命人元經三卷

楊龍光　推計禄命厄運詩一卷

王希明　太一金鏡式經十卷 開元中詔撰。

僧一行　天一太一經一卷　又　遁甲十八局一卷　太一局遁

甲經一卷　五音地理經十五卷　六壬明鏡連珠歌一卷　六
壬髓經三卷

馬先　天寶太一靈應式記五卷

李鼎祚　連珠明鏡式經十卷　<small>開耀中上之。</small>

蕭君靖　遁甲圖　<small>開元僕寺主簿，奉詔撰。卷亡。</small>

司馬驤　遁甲符寶萬歲經國曆一卷　<small>驤與弟裕同撰。</small>

曹士蔿　金匱經三卷

馬雄　絳囊經一卷　<small>雄稱居士。</small>

李靖　玉帳經一卷

李筌　六壬大玉帳歌十卷

王叔政　推太歲行年吉凶厄一卷

由吾公裕　葬經三卷

孫季邕　葬範三卷

盧重元　夢書四卷　<small>開元人。</small>

柳璨　夢儁一卷

　　右五行類六十家，一百六十部，六百四十七卷。　<small>失姓名六十
五家，袁天綱以下不著錄二十五家，一百三十二卷。</small>

郝沖　虞譚法　投壺經一卷

魏文帝　皇博經一卷

大小博法二卷

大博經行碁戲法二卷

鮑宏　小博經一卷

博塞經一卷

雜博戲五卷

隋煬帝　二儀簿經一卷

范汪等　注碁品五卷

梁武帝　碁評一卷

碁勢六卷

圍碁後九品序録一卷

竹苑仙碁圖一卷

周武帝象經一卷

何妥象經一卷

王褒象經一卷

王裕　注象經一卷

今古術藝十五卷

名手畫録一卷

李嗣真　畫後品一卷

禮圖等雜畫五十六卷

漢王元昌畫　漢賢王圖

閻立德畫　文成公主降蕃圖　玉華宮圖　鬭雞圖

閻立本畫　秦府十八學士圖　淩煙閣功臣二十四人圖

范長壽畫　風俗圖　醉道士圖

王定畫　本草訓誡圖 _{貞觀尚方令。}

檀智敏畫　游春戲藝圖 _{振武校尉。}

殷毅　韋无忝畫　皇朝九聖圖　高祖及諸王圖　太宗自定輦
　　上圖　開元十八學士圖 _{開元人。}

董萼畫　盤車圖 _{開元人,字重照。}

曹元廓畫　後周北齊梁陳隋武德貞觀永徽等朝臣圖　高祖太
　　宗諸子圖　秦府學士圖　淩煙圖 _{武后左尚方令。}

楊昇畫　望賢宮圖　安禄山真

張萱畫　少女圖　乳母將嬰兒圖　按羯鼓圖　鞦韆圖 _{並開元館}
　　_{畫直。}

談皎畫　武惠妃舞圖　佳麗寒食圖　佳麗伎樂圖

韓幹畫　龍朔功臣圖　姚宋及安禄山圖　相馬圖　玄宗試馬圖　寧王調馬打毬圖　大梁人，太府寺丞。

陳宏畫　安禄山圖　玄宗馬射圖　上黨十九瑞圖　永王府長史。

王象畫　鹵簿圖

田琦畫　洪崖子橘木圖　德平子，汝南太守。

竇師綸畫　內庫瑞錦對雉鬬羊翔鳳游麟圖　字希言，太宗秦王府諮議、相國錄事參軍，封陵陽公。

韋鷗畫　天竺胡僧渡水放牧圖　鑾子。

周昉畫　撲蝶　按箏　楊真人降真　五星等圖各一卷　字景玄。

張彥遠　歷代名畫記十卷

姚最　續畫品一卷

裴孝源　畫品錄一卷　中書舍人，記貞觀顯慶年事。

顧況　畫評一卷

朱景玄　唐畫斷三卷　會昌人。

竇蒙　畫拾遺　卷亡。

吳恬　畫山水錄　卷亡。恬，一名玢，字建康。青州人。

王琚　射經一卷

張守忠　射記一卷

任權　弓箭論一卷

上官儀　投壺經一卷

王積薪　金谷園九局圖一卷　開元待詔。

韋珽　碁圖一卷

呂才　大博經二卷

董叔經　博經一卷　貞元中上。

李郃　骰子選格三卷　字中玄，賀州刺史。

　　右雜藝術類十一家，二十部，一百四十二卷。　失姓名八家，張彥遠以下不著錄一十六家，一百一十七卷。

何承天　并合皇覽一百二十二卷

徐爰　并合皇覽八十四卷

劉孝標　類苑一百二十卷

劉杳　壽光書苑二百卷

徐勉　華林遍略六百卷

祖孝徵等　脩文殿御覽三百六十卷

虞綽等　長洲玉鏡二百三十八卷

諸葛穎　玄門寶海一百二十卷

張氏　書圖泉海七十卷　要錄六十卷

檢事書一百六十卷

帝王要覽二十卷

文思博要一千二百卷　目十二卷　右僕射高士廉、左僕射房玄齡、特進魏徵、中書令楊師道、兼中書侍郎岑文本、禮部侍郎顏相時、國子司業朱子奢、博士劉伯莊、太學博士馬嘉運、給事中許敬宗、司文郎中崔行功、太常博士呂才、祕書丞李淳風、起居郎褚遂良、晋王友姚思廉、太子舍人司馬宅相等奉詔撰，貞觀十五年上。

許敬宗　搖山玉彩五百卷　孝敬皇帝令太子少師許敬宗、司議郎孟利貞、崇賢館學士郭瑜、顧胤、右史董思恭等撰。

累璧四百卷　又　目錄四卷　許敬宗等撰，龍朔元年上。

東殿新書二百卷　許敬宗、李義府奉詔於武德內殿脩撰。其書自《史記》至《晋書》刪其繁辭。龍朔元年上，高宗製序。

歐陽詢　藝文類聚一百卷　令狐德棻、袁朗、趙弘智等同脩。

虞世南　北堂書鈔一百七十三卷

張大素　策府五百八十二卷

武后　玄覽一百卷

三教珠英一千三百卷　目十三卷　張昌宗、李嶠、崔湜、閻朝隱、徐彥伯、張説、沈佺期、宋之問、富嘉謩、喬偘、員半千、薛曜等撰。開成初改爲《海內珠英》，武后所改字並復舊。

孟利貞　碧玉芳林四百五十卷　玉藻瓊林一百卷

王義方　筆海十卷

玄宗事類一百三十卷　又　初學記三十卷 張説類集要事以教諸王，徐堅、韋述、余欽、施敬本、張烜、李鋭、孫季良等分撰。

是光乂　十九部書語類十卷 開元末，自祕書省正字上，授集賢院脩撰，後賜姓齊。

劉秩　政典三十五卷

杜佑　通典二百卷

蘇冕　會要四十卷

續會要四十卷 楊紹復、裴德融、崔瑑、薛逢、鄭言、周膚敏、薛廷望、于珪、于球等撰，崔鉉監脩。

陸贄　備舉文言二十卷

劉綺莊　集類一百卷

高丘　詞集類略三十卷

陸羽　警年十卷

張仲素　詞圃十卷 字繪之，元和翰林學士、中書舍人。

元氏類集三百卷 元稹。

白氏經史事類三十卷 白居易。一名《六帖》。

王氏千門四十卷 王洛賓。

于立政　類林十卷

郭道規　事鑑五十卷

馬幼昌　穿楊集四卷 判目。

盛均　十三家貼 均，字之材，泉州南安人，終昭州刺史。以《白氏六帖》未備而廣之，卷亡。

寶蒙　青囊書十卷 國子司業。

韋稔　瀛類十卷

應用類對十卷

高測韻對十卷

温庭筠　學海三十卷

王博古　脩文海十七卷

李途　記室新書三十卷

孫翰　錦繡谷五卷

張楚金　翰苑七卷

皮氏　鹿門家鈔九十卷　皮日休，字襲美，咸通太常博士。

劉揚名　戚苑纂要十卷　戚苑英華十卷　袁説重脩。

　　　右類書類十七家，二十四部，七千二百八十八卷。　失姓名三家，王義方以下不著録三十二家，一千三百三十八卷。

皇甫謐　皇帝三部鍼經十二卷

張子存　赤烏神鍼經一卷

黄帝鍼灸經十二卷

黄帝雜注鍼經一卷

黄帝鍼經十卷

玉匱鍼經十二卷

龍銜素鍼經并孔穴蝦墓圖三卷

徐叔嚮鍼灸要鈔一卷

黄帝明堂經三卷

黄帝明堂三卷

楊玄　注黄帝明堂經三卷

黄帝内經明堂十三卷

黄帝十二經脉明堂五藏圖一卷

曹氏　黄帝十二經明堂偃側人圖十二卷

秦承祖　明堂圖三卷

明堂孔穴五卷

秦越人　黄帝八十一難經二卷

全元起　注黄帝素問九卷

靈寶　注黃帝九靈經十二卷

黃帝甲乙經十二卷

黃帝流注脉經一卷

三部四時五藏辨候診色脉經一卷

脉經十卷　又　二卷

徐氏　脉經訣三卷

王子顒　脉經二卷

歧伯　灸經一卷

雷氏　灸經一卷

五藏訣一卷

五藏論一卷

賈和光　鈐和子十卷

王冰　注黃帝素問二十四卷　釋文一卷　<small>冰號啓元子。</small>

楊上善　注黃帝內經明堂類成十三卷　又　黃帝內經太素三
十卷

甄權　脉經一卷

鍼經鈔三卷

鍼方一卷

明堂人形圖一卷

米遂　明堂論一卷

　　右明堂經脉類一十六家,三十五部,二百三十一卷。　<small>失姓
名十六家,甄權以下不著錄二家,七卷。</small>

神農本草三卷

雷公　集撰神農本草四卷

吳氏本草因六卷　<small>吳普。</small>

李氏本草三卷

原平仲　靈秀本草圖六卷

殷子嚴　本草音義二卷

本草用藥要妙九卷

本草病源合藥節度五卷

本草要術三卷

療癰疽耳眼本草要妙五卷

桐君藥錄三卷

徐之才　雷公藥對二卷

僧行智　諸藥異名十卷

藥類二卷

藥目要用二卷

四時採取諸藥及合和四卷

名醫別錄三卷

吳景　諸病源候論五十卷

巢氏諸病源候論五十卷　巢元方。

徐嗣伯　雜病論一卷　又　徐氏落年方三卷　彭祖養性經
　一卷

張湛　養生要集十卷

延年祕錄十二卷

秦承祖　藥方四十卷

吳普　集華氏藥方十卷　華佗。

葛洪　肘後救卒方六卷

梁武帝　坐右方十卷

如意方十卷

陶弘景　集注神農本草七卷　又　効驗方十卷　補肘後救卒
　備急方六卷　太清玉石丹藥要集三卷　太清諸草木方集要
　三卷

隋煬帝　勑撰四海類聚單方十六卷

王叔和　張仲景藥方十五卷　又　傷寒卒病論十卷

阮河南方十六卷　阮炳。

尹穆纂　范東陽雜藥方一百七十卷　范汪。

胡居士治百病要方三卷　胡洽。

徐叔嚮　雜療方二十卷　又　體療雜病方六卷　脚弱方八卷
　　解寒食方十五卷　阮河南藥方十七卷

褚澄　雜藥方十二卷

陳山提　雜藥方十卷

謝泰　黃素方二十五卷

孝思　雜湯丸散方五十七卷

謝士太　刪繁方十二卷

徐之才　徐王八代効驗方十卷　又　家祕方三卷

范世英　千金方三卷

姚僧垣　集驗方十卷

陳延之　小品方十二卷

蘇游　玄感傳屍方一卷　又　太一鐵胤神丹方三卷

俞氏治小兒方四卷

俞寶　小女節療方一卷

僧僧深　集方三十卷

僧鸞　調氣方一卷

龔慶宣　劉涓子男方十卷

甘濬之　療癰疽金瘡要方十四卷

甘伯齊　療癰疽金瘡要方十二卷

雜藥方六卷

雜丸方一卷

名醫集驗方三卷

百病膏方十卷

雜湯方八卷

療目方五卷

寒食散方并消息節度二卷

婦人方十卷　又二十卷

少女方十卷

少女雜方二十卷

類聚方二千六百卷

種芝經九卷

芝草圖一卷

諸葛頴　淮南王食經一百三十卷　音十三卷　食目十卷

盧仁宗　食經三卷

崔浩　食經九卷

竺暄　食經四卷　又十卷

趙武　四時食法一卷

太官食法一卷

太官食方十九卷

四時御食經一卷

抱朴子　太清神仙服食經五卷

沖和子　太清璿璣文七卷

太清神丹中經三卷

太清神仙服食經五卷

太清諸丹藥要錄四卷

京里先生　金匱仙藥錄三卷

神仙服食經十二卷

神仙藥食經一卷

神仙服食方十卷

神仙服食藥方十卷

服玉法并禁忌一卷

寒食散論二卷

葛仙公　錄狐子方金訣二卷　狐子雜訣三卷

明月公　陵陽子祕訣一卷

黃公　神臨藥祕經一卷

黃白祕法一卷　又　二十卷

葛氏　房中祕術一卷

沖和子　玉房祕訣十卷　張鼎。

本草二十卷

目錄一卷

藥圖二十卷

圖經七卷　顯慶四年，英國公李勣、太尉長孫无忌、兼侍中辛茂將、太子賓客弘文館學士許敬宗、禮部郎中兼太子洗馬弘文館大學士孔志約、尚藥奉御許孝崇、胡子彖、蔣季璋、尚藥局直長藺復珪、許弘直、侍御醫巢孝儉、太子藥藏監蔣季瑜、吳嗣宗、丞蔣義方、太醫令蔣季琬、許弘、丞蔣茂昌、太常丞呂才、賈文通、太史令李淳風、潞王府參軍吳師哲、禮部主事顏仁楚、右監門府長史蘇敬等撰。

孔志約　本草音義二十卷

蘇敬　新脩本草二十一卷　又　新脩本草圖二十六卷　本草音三卷　本草圖經七卷

甄立言　一作權。　本草音義七卷　又　本草藥性三卷　古今錄驗方五十卷

孟詵　食療本草三卷　又　補養方三卷　必效方十卷

宋俠　經心方十卷

崔氏纂要方十卷　崔行功。

崔知悌　骨蒸病灸方一卷

王方慶　新本草四十一卷　又　藥性要袂五卷　袖中備急要方三卷　嶺南急要方二卷　針灸服藥禁忌五卷

李含光　本草音義二卷

陳藏器　本草拾遺十卷　開元中人。

鄭虔　胡本草七卷

孫思邈　千金方三十卷　又　千金髓方二十卷　千金翼方三十卷　神枕方一卷　醫家要妙五卷

楊太僕醫方一卷　失名,天授二年上。

衛嵩　醫門金寶鑑三卷

許詠　六十四問一卷

段元亮　病源手鏡一卷

伏氏醫苑一卷　伏適。

甘伯宗　名醫傳七卷

王超　仙人水鏡圖訣一卷　貞觀人。

吳兢　五藏論應象一卷

裴璡　五藏論一卷

劉清海　五藏類合賦五卷

裴王廷　五色傍通五藏圖一卷

張文懿　藏府通元賦一卷

段元亮　五藏鏡源四卷

喻義纂　療癰疽要訣一卷

瘡腫論一卷

沈泰之　癰疽論二卷

青溪子　萬病拾遺三卷　又　消渴論一卷　脚氣論三卷

李暄　嶺南脚氣論一卷　又　方一卷　脚氣論一卷　蘇鑒、徐玉等編集。

鄭景岫　南中四時攝生論一卷

蘇游　鐵粉論一卷

陳元　北京要術一卷　元爲太原少尹。

司空輿　發焰録一卷　圖父,大中時商州刺史。

青羅子　道光通元祕要術三卷　失姓,咸通人。

乾寧晏先生制伏草石論六卷　晏封。

江承宗　删繁藥詠三卷　鳳翔節度要籍。

玄宗　開元廣濟方五卷

劉貺　真人肘後方三卷

王燾　外臺祕要方四十卷　又　外臺要略十卷

德宗　貞元集要廣利方五卷

陸氏集驗方十五卷　陸贊。

賈耽　備急單方一卷

薛弘慶　兵部手集方三卷　兵部尚書李絳所傳方。弘慶,大和河中少尹。

薛景晦　古今集驗方十卷　元和刑部郎中,貶道州刺史。

劉禹錫　傳信方二卷

崔玄亮　海上集驗方十卷

楊氏産乳集驗方三卷　楊歸厚,元和中,自左拾遺貶鳳州司馬、虢州刺史。方九
　百一十。

鄭注　藥方一卷

韋氏集驗獨行方十二卷　韋宙。

張文仲　隨身備急方三卷

蘇越　羣方祕要三卷

李繼皋南行方三卷

白仁叙　唐興集驗方五卷

包會　應驗方一卷

許孝宗　篋中方三卷

梅崇獻方五卷

姚和　衆童子祕訣三卷　又　衆童延齡至寶方十卷

孫會　嬰孺方十卷

邵英俊　口齒論一卷　又　排玉集二卷　口齒方。

李昭明　嵩臺集三卷

陽曅　膳夫經手錄四卷

嚴龜　食法十卷　震之後，鎮西軍節度使譔子也。昭宗時宣慰汴寨。

　　右醫術類六十四家，一百二十部，四千四十六卷。　失姓名三十
八家，王方　慶以下不著錄五十五家，四百八卷。

四

丁部集録,其類三:一曰楚辭類,二曰別集類,三曰總集類。凡著録八百一十八家,八百五十六部,一萬一千九百二十三卷。不著録四百八家,五千八百二十五卷。

王逸　注楚辭十六卷

郭璞　注楚辭十卷

楊穆　楚辭九悼一卷

劉杳　離騷草木蟲魚疏二卷

孟奧　楚辭音一卷

徐邈　楚辭音一卷

僧道騫　楚辭音一卷

右楚辭類七家,七部,三十二卷。

趙荀況集二卷

楚宋玉集二卷

漢武帝集二卷

淮南王安集二卷

賈誼集二卷

枚乘集二卷

司馬遷集二卷

東方朔集二卷

董仲舒集二卷

李陵集二卷

司馬相如集二卷

孔臧集二卷

魏相集二卷

張敞集二卷

韋玄成集二卷

劉向集五卷

王褒集五卷

谷永集五卷

杜鄴集五卷

師丹集五卷

息夫躬集五卷

劉歆集五卷

楊雄集五卷

崔篆集一卷

東平王蒼集二卷

桓譚集二卷

史岑集二卷

王文山集二卷

朱勃集二卷

梁鴻集二卷

黃香集二卷

馮衍集五卷

班彪集三卷

杜篤集五卷

傅毅集五卷

班固集十卷

崔駰集十卷

賈逵集二卷

劉騊駼集二卷

崔瑗集五卷

蘇順集二卷

竇章集二卷

胡廣集二卷

高彪集二卷

王逸集二卷

桓驎集二卷

邊韶集二卷

皇甫規集五卷

張奐集二卷

朱穆集二卷

趙壹集二卷

張升集二卷

侯瑾集二卷

酈炎集二卷

盧植集二卷

劉珍集二卷

楊厚集二卷

張衡集十卷

葛龔集五卷

李固集十卷

馬融集五卷

崔琦集二卷

延篤集二卷

劉陶集二卷

荀爽集二卷

劉梁集二卷

鄭玄集二卷

蔡邕集二十卷

應劭集四卷

士孫瑞集二卷

張邵集五卷

禰衡集二卷

孔融集十卷

潘勖集二卷

阮瑀集五卷

陳琳集十卷

張紘集一卷

繁欽集十卷

楊脩集二卷

王粲集十卷

魏武帝集三十卷

文帝集十卷

明帝集十卷

高貴鄉公集二卷

陳思王集二十卷　又三十卷

華歆集三十卷

王朗集三十卷

邯鄲淳集二卷

袁渙集五卷

應瑒集二卷

徐幹集五卷

劉楨集二卷

路粹集二卷

丁儀集二卷

丁廙集二卷

劉廙集二卷

吳質集五卷

孟達集三卷

陳羣集三卷

王脩集三卷

管寧集二卷

劉邵集二卷

麋元集五卷

李康集二卷

孫該集二卷

卞蘭集二卷

傅巽集二卷

高堂隆集十卷

繆襲集五卷

殷褒集二卷

韋誕集三卷

曹羲集五卷

傅嘏集二卷

桓範集二卷

夏侯霸集二卷

鍾毓集五卷

江奉集二卷

夏侯惠集二卷

毌丘儉集二卷

王弼集五卷

吕安集二卷

王昶集五卷

王肅集五卷

何晏集十卷

應瑒集十卷

杜摯集二卷

夏侯玄集二卷

程曉集二卷

阮籍集五卷

嵇康集十五卷

鍾會集十卷

蜀許靖集二卷

諸葛亮集二十四卷

吳張温集五卷

士燮集五卷

虞翻集三卷

駱統集十卷

暨豔集二卷

謝承集四卷

姚信集十卷

陸凱集五卷

華覈集五卷

胡綜集二卷

薛瑩集二卷

薛綜集三卷

張儼集二卷

韋昭集二卷

紀隲集二卷

晉宣帝集五卷

文帝集二卷

明帝集五卷

簡文帝集五卷

齊王攸集二卷

會稽王道子集八卷

彭城王集八卷

譙王集三卷

王沈集五卷

鄭袤集二卷

應貞集五卷

嵇喜集二卷

傅玄集五十卷

成公綏集十卷

裴秀集三卷

何積集五卷①

袁準集二卷

山濤集五卷

向秀集二卷

---

① "積",武英殿本、中華本作"禎"。

阮沖集二卷

阮侃集五卷

羊祜集二卷

賈充集二卷

荀勖集二十卷

杜預集二十卷

王濬集二卷

皇甫謐集二卷

程咸集二卷

劉毅集二卷

庾峻集三卷

郤正集一卷

楊泉集二卷

陶濬集二卷

宣聘集三卷

曹志集二卷

鄒湛集四卷

孫毓集五卷

王渾集五卷

王深集四卷

江偉集五卷

閔鴻集二卷

裴楷集二卷

何劭集二卷

劉寔集二卷

裴頠集十卷

許孟集二卷

王祜集三卷

王濟集二卷

華頌集三卷

劉嶠集二卷

庾儵集三卷

謝衡集二卷

傅咸集三十卷

棗據集二卷

劉寶集三卷

孫楚集十卷

王讚集二卷

夏侯湛集十卷

夏侯淳集十卷

張敏集二卷

劉許集二卷

李重集二卷

樂廣集二卷

阮渾集二卷

楊乂集三卷

張華集十卷

李虔集十卷

石崇集五卷

潘岳集十卷

潘尼集十卷

歐陽建集二卷

嵇紹集二卷

衞展集十四卷

盧播集二卷

欒肇集五卷

應亨集二卷

司馬彪集三卷

杜育集二卷

摯虞集十卷

繆徵集二卷

左思集五卷

夏侯靖集二卷

鄭豐集二卷

陳略集二卷

張翰集二卷

陸機集十五卷

陸雲集十卷

陸沖集二卷

孫極集二卷

張載集二卷

張協集二卷

束皙集五卷

華譚集二卷

曹據集二卷

江統集十卷

胡濟集五卷

卞粹集二卷

閭丘沖集二卷

庾敳集二卷

阮瞻集二卷

阮脩集二卷

裴邈集二卷

郭象集五卷

嵇含集十卷

孫惠集十卷

蔡洪集二卷

牽秀集五卷

蔡克集二卷

索靖集二卷

閻纂集二卷

張輔集二卷

殷巨集二卷

陶佐集五卷

仲長敖集二卷

虞浦集二卷

吳商集五卷

劉弘集三卷

山簡集二卷

宗岱集三卷

王曠集五卷

王峻集二卷

棗腆集二卷

棗嵩集二卷

劉琨集十卷

盧諶集十卷

傅暢集五卷

顧榮集五卷

荀組集二卷

周顗集二卷

周嵩集三卷

王導集十卷

荀邃集二卷

王敦集五卷

謝琨集二卷

張抗集二卷

賈霖集三卷

劉隗集三卷

應詹集五卷

陶侃集二卷

王洽集三卷

張闓集三卷

卞壼集二卷

劉超集二卷

楊方集二卷

傅純集二卷

郗鑒集十卷

溫嶠集十卷

孔坦集五卷

王濤集五卷

王篾集五卷

甄述集五卷

王嶠集二卷

戴邈集五卷

賀循集二十卷

張悛集二卷

應碩集二卷

陸沈集二卷

曾璵集五卷

熊遠集五卷

郭璞集十卷

王鑒集五卷

庾亮集二十卷

虞預集十卷

顧和集五卷

范宣集十卷

張虞集五卷

庾冰集二十卷

庾翼集二十卷

何充集五卷

諸葛恢集五卷

祖台之集十五卷

李充集十四卷

蔡謨集十卷

謝艾集八卷

范汪集八卷

范甯集十五卷

阮放集五卷

王廙集十卷

王彪之集二十卷

謝安集五卷

謝万集十卷

王羲之集五卷

干寶集四卷
殷融集十卷
劉遐集五卷
殷浩集五卷
劉惔集二卷
王濛集五卷
謝尚集五卷
張憑集五卷
張望集三卷
韓康伯集五卷
王胡之集五卷
江霖集五卷
范宣集五卷
江惇集五卷
王述集五卷
郝默集五卷
黄整集十卷
王洽集二卷
王度集五卷
劉系之集五卷
劉恢集五卷
范起集五卷
殷康集五卷
孫嗣集三卷
王坦之集五卷
桓温集二十卷
郗超集十五卷

謝朗集五卷

謝玄集十卷

王珣集十卷

許詢集三卷

孫統集五卷

孫綽集十五卷

孔嚴集五卷

江逌集五卷

車灌集五卷

丁纂集二卷

曹毗集十五卷

蔡系集二卷

李顒集十卷

顧夷集五卷

袁喬集五卷

謝沈集五卷

庾闡集十卷

王隱集十卷

殷允集十卷

徐邈集八卷

殷仲堪集十卷

殷叔獻集三卷

伏滔集五卷

桓嗣集五卷

習鑿齒集五卷

鈕滔集五卷

邵毅集五卷

孫盛集十卷

袁質集二卷

袁宏集二十卷

袁邵集三卷

羅含集三卷

孫放集十五卷

辛昞集四卷

庾統集二卷

郭愔集五卷

滕輔集五卷

庾龢集二卷

庾軌集二卷

庾蒨集二卷

庾肅之集十卷

王脩集二卷

戴逵集十卷

桓玄集二十卷

殷仲文集七卷

卞湛集五卷

蘇彥集十卷

袁豹集十卷

王謐集十卷

周祇集十卷

梅陶集十卷

湛方生集十卷

劉瑾集八卷

羊徽集一卷

卞裕集十四卷

王愆期集十卷

孔璠之集二卷

王茂略集四卷

薄肅之集十卷

滕演集二卷

宋武帝集二十卷

文帝集十卷

長沙王義欣集十卷

臨川王義慶集八卷

衡陽王義季集十卷

江夏王義恭集十五卷

南平王鑠集五卷

建平王宏集十卷　又　小集六卷

新渝侯義宗集十二卷

謝瞻集二卷

孔琳之集十卷

王叔之集十卷

徐廣集十五卷

孔甯子集十五卷

蔡廓集十卷

傅亮集十卷

孫康集十卷

鄭鮮之集二十卷

陶潛集二十卷　又　集五卷

范泰集二十卷

王弘集二十卷

謝惠連集五卷

謝靈運集十五卷

荀昶集十四卷

孔欣集十卷

卞伯玉集五卷

王曇首集二卷

謝弘微集二卷

王韶之集二十卷

沈林子集七卷

姚濤之集二十卷

賀道養集十卷

衞令元集八卷

褚詮之集八卷

荀欽明集六卷

殷淳集三卷

劉瑀集七卷

劉緄集五卷

雷次宗集三十卷

宗炳集十五卷

伍緝之集十一卷

荀雍集十卷

袁淑集十卷

顏延之集三十卷

王微集十卷

王僧達集十卷

張暢集十四卷

何偃集八卷

沈懷文集十三卷

江智淵集十卷

謝莊集十五卷

殷琰集八卷

顏竣集十三卷

何承天集二十卷

裴松之集三十卷

卞瑾集十卷

丘淵之集六卷

顏測集十一卷

湯惠休集三卷

沈勃集十五卷

徐爰集十卷

鮑照集十卷

庾蔚之集十一卷

虞通之集五卷

劉愔集十卷

孫緬集十卷

袁伯文集十卷

袁粲集十卷

齊竟陵王集三十卷

褚淵集十五卷

王儉集六十卷

周顒集二十卷

徐孝嗣集十二卷

王融集十卷

謝朓集十卷

孔稚珪集十卷

陸厥集十卷

虞羲集十一卷

宗躬集十二卷

江氼集十一卷

张融　玉海集六十卷

梁文帝集十八卷

武帝集十卷

簡文帝集八十卷

元帝集五十卷　又　小集十卷

昭明太子集二十卷

邵陵王綸集四卷

武陵王紀集八卷

范雲集十二卷

江淹前集十卷　後集十卷

任昉集三十四卷

宗夬集十卷

王暕集二十卷

魏道微集三卷

司馬褧集九卷

沈約集一百卷　又　集略三十卷

傅昭集十卷

袁昂集二十卷

徐勉前集三十五卷　後集十六卷

陶弘景集三十卷

周捨集二十卷

何遜集八卷

謝琛集五卷

謝郁集五卷

王僧孺集三十卷

張率集三十卷

楊眺集十卷

鮑畿集八卷

周興嗣集十卷

蕭洽集二卷

裴子野集十四卷

庾曇隆集十卷

陸倕集二十卷

劉之遴前集十一卷　後集三十卷

虞騭集六卷

王同集三卷

劉孝綽集十二卷

劉孝儀集二十卷

劉孝威前集十卷　後集十卷

丘遲集十卷

王錫集七卷

蕭子範集三卷

蕭子雲集二十卷

蕭子暉集十一卷

江革集十卷

吳均集二十卷

庾肩吾集十卷

王筠　洗馬集十卷　又　中庶子集十卷

左右集十卷

臨海集十卷

中書集十卷

尚書集十一卷

鮑泉集一卷

謝瑱集十卷

任孝恭集十卷

張纘集十卷

陸雲公集四卷

張綰集十卷

甄玄成集十卷

蕭欣集十卷

沈君攸集十二卷

後梁明帝集一卷

後魏文帝集四十卷

高允集二十卷

宗欽集二卷

李諧集十卷

韓宗集五卷

袁躍集九卷

薛孝通集六卷

溫子昇集三十五卷

盧元明集六卷

陽固集三卷

魏孝景集一卷

北齊陽休之集三十卷

邢邵集三十卷

魏收集七十卷

劉逖集四十卷

後周明帝集五十卷

趙平王集十卷

滕簡王集十二卷

宗懍集十卷

王褒集二十卷

蕭撝集十卷

庾信集二十卷

王衡集三卷

陳後主集五十五卷

沈炯前集六卷　後集十三卷

周弘正集二十卷

周弘讓集十八卷

徐陵集三十卷

張正見集四卷

陸珍集五卷

陸瑜集十卷

沈不害集十卷

張式集十三卷

褚介集十卷

顧越集二卷

顧覽集五卷

姚察集二十卷

隋煬帝集三十卷

盧思道集二十卷

李元操集二十二卷

辛德源集三十卷

李德林集十卷

牛弘集十二卷

薛道衡集三十卷

何妥集十卷

柳顧言集十卷

江揔集二十卷

殷英童集三十卷

蕭愨集九卷

魏澹集四卷

尹式集五卷

諸葛潁集十四卷

王冑集十卷

虞茂世集五卷

劉興宗集三卷

李播集三卷

道士江旻集三十卷

僧曇諦集六卷

惠遠集十五卷

支遁集十卷

惠琳集五卷

曇瑗集六卷

靈裕集二卷

亡名集十卷

曹大家集二卷

鍾夫人集二卷

劉臻妻陳氏集五卷

左九嬪集一卷

臨安公主集三卷

范靖妻沈滿願集三卷

徐悱妻劉氏集六卷

太宗集四十卷

高宗集八十六卷

中宗集四十卷

睿宗集十卷

武后　垂拱集一百卷　又　金輪集十卷

陳叔達集十五卷

竇威集十卷

褚亮集二十卷

虞世南集三十卷

蕭瑀集一卷

沈齊家集十卷

薛收集十卷

楊師道集十卷

庾抱集十卷

孔穎達集五卷

王績集五卷

郎楚之集三卷

魏徵集二十卷

許敬宗集八十卷

于志寧集四十卷

上官儀集三十卷

李義府集四十卷

顏師古集六十卷

岑文本集六十卷

劉子翼集二十卷
殷聞禮集一卷
陸士季集十卷
劉孝孫集三十卷
鄭世翼集八卷
崔君實集十卷
李百藥集三十卷
孔紹安集五十卷
高季輔集二十卷
溫彥博集二十卷
李玄道集十卷
謝偃集十卷
沈叔安集二十卷
陸楷集十卷
曹憲集三十卷
蕭德言集二十卷
潘求仁集三卷
殷芊集三卷
蕭鈞集三十卷
袁朗集十四卷
楊續集十卷
王約集一卷
任希古集十卷
凌敬集十四卷
王德儉集十卷
徐孝德集十卷
杜之松集十卷

宋令文集十卷

陳子良集十卷

顏顗集十卷

劉穎集十卷

司馬僉集十卷

鄭秀集十二卷

耿義褒集七卷

楊元亨集五卷

劉綱集三卷

王歸一集十卷

馬周集十卷

薛元超集三十卷

高智周集五卷

褚遂良集二十卷

劉禕之集七十卷

郝處俊集十卷

崔知悌集五卷

李安期集二十卷

唐覷集五卷

張大素集十五卷

鄧玄挺集十卷

劉允濟集二十卷

駱賓王集十卷

盧照鄰集二十卷　又　幽憂子三卷

楊炯　盈川集三十卷

王勃集三十卷

狄仁傑集十卷

李懷遠集八卷

盧受采集二十卷

王適集二十卷

喬知之集二十卷

蘇味道集十五卷

薛耀集二十卷

郎餘慶集十卷

盧光容集二十卷

崔融集六十卷

閻鏡機集十卷

李嶠集五十卷

喬備集六卷

陳子昂集十卷

元希聲集十卷

李適集十卷

沈佺期集十卷

徐彥伯前集十卷　　後集十卷

宋之問集十卷

杜審言集十卷

谷倚集十卷

富嘉謨集十卷

吳少微集十卷

劉希夷集十卷

張柬之集十卷

桓彥範集三卷

韋承慶集六十卷

閭丘均集二十卷

郭元振集二十卷

魏知古集二十卷

閻朝隱集五卷

蘇瓌集十卷

員半千集十卷

李乂集五卷

姚崇集十卷

丘悅集十卷

劉子玄集三十卷

盧藏用集三十卷

玄宗集

德宗集　卷亡。

濮王泰集二十卷

上官昭容集二十卷

令狐德棻集三十卷

褚亮集二十卷

許彥伯集十卷

劉洎集十卷

來濟集三十卷

杜正倫集十卷

李敬玄集三十卷

裴行儉集二十卷

崔行功集六十卷

張文琮集二十卷

麴崇裕集二十卷

劉憲集三十卷

薛稷集三十卷

宋璟集十卷

蔣儼集五卷

趙弘智集二十卷

賀德仁集二十卷

許子儒集十卷

蔡允恭集二十卷

张昌齡集二十卷

杜易簡集二十卷

顏元孫集三十卷

姚璹集七卷

杜元志集十卷　字道寧，開元考功郎中，杭州刺史。

楊仲昌集十五卷

崔液集十卷　裴耀卿纂。

張説集二十卷

蘇頲集三十卷

徐堅集三十卷

元海集十卷　字休則，開元臨河尉。

李邕集七十卷

王澣集十卷

張九齡集二十卷

康國安集十卷　以明經高第直國子監，教授三館進士，授右典戎衞録事參軍，太學
　　崇文助教，遷博士，白獸門内供奉、崇文館學士。

孫逖集二十卷

趙冬曦集　卷亡。

苑咸集　卷亡。京兆人。開元末上書，拜司經校書、中書舍人，貶漢東郡司户參軍，
　　復起爲舍人、永陽太守。

毛欽一集三卷　字傑，荆州長林人。

王助　雕蟲集一卷

王維集十卷

康希銑集二十卷　字南金，開元台州刺史。

張均集二十卷

權若訥集十卷　開元梓州刺史。

白履忠集十卷

鮮于向集十卷

康玄辯集十卷　字通理，開元瀘州刺史。

嚴從集三卷　從卒，詔求其槀，呂向集而進焉。

陶翰集　卷亡。潤州人。開元禮部員外郎。

崔國輔集　卷亡。應縣令舉，授許昌令，集賢直學士，禮部員外郎。坐王鉷近親貶竟陵郡司馬。

高適集二十卷

賈至集二十卷　別十五卷　蘇冕編。

張孝嵩集十卷　字仲山，南陽人，開元河東節度使，南陽郡公。

儲光羲集七十卷

蘇源明前集三十卷

李白草堂集二十卷　李陽冰錄。

杜甫集六十卷　小集六卷　潤州刺史樊晃集。

岑參集十卷

盧象集十二卷　字緯卿，左拾遺、膳部員外郎，授安祿山偽官，貶永州司戶參軍，起爲主客員外郎。

蕭穎士　游梁新集三卷　又　集十卷

李華前集十卷　中集二十卷

李翰前集三十卷

王昌齡集五卷

元結文編十卷

邵説集十卷

裴倩集五卷　又　溢城集五卷　均之父。

劉彙集三卷

樊澤集十卷

崔良佐集十卷

湯賁集十五卷　字文叔，潤州丹陽人，貞元宋州刺史。

劉迥集五卷

武就集五卷　元衡父。

于休烈集十卷

元載集十卷

張薦集三十卷

劉長卿集十卷　字文房，至德監察御史，以檢校祠部員外郎爲轉運使判官，知淮西
　　鄂岳轉運留後、鄂岳觀察使。吳仲孺誣奏，貶潘州南巴尉。會有爲辨之者，除睦州司
　　馬，終隋州刺史。

戎昱集五卷　衛伯玉鎮荆南從事，後爲辰州、虔州二刺史。

崔祐甫集三十卷

常袞集十卷　又　詔集六十卷

楊炎集十卷　又　制集十卷　蘇弁編。

顏真卿　吳興集十卷　又　廬陵集十卷

臨川集十卷

歸崇敬集二十卷

劉太真集三十卷

于邵集四十卷

梁肅集二十卷

獨孤及　毗陵集二十卷

竇叔向集七卷　字遺直。與常袞善，袞爲相，用爲左拾遺、内供奉，及貶，亦出溧
　　水令。

丘爲集 卷亡。蘇州嘉興人，事繼母孝，嘗有靈芝生堂下。累官太子右庶子，時年八十餘，而母無恙，給俸祿之半。及居憂，觀察使韓滉以致仕官給祿所以惠養老臣，不可在喪爲異，唯罷春秋羊酒。初還鄉，縣令謁之，爲候門磬折，令坐，乃拜，里胥立庭下，既出，乃敢坐。經縣署，降馬而趨。卒年九十六。

柳渾集十卷

李泌集二十卷

張建封集二百三十篇

顧況集二十卷

鮑溶集五卷

齊抗集二十卷

鄭餘慶集五十卷

崔元翰集三十卷

楊凝集二十卷

歐陽詹集十卷

李觀集三卷 陸希聲纂。

呂溫集十卷

穆員集十卷

竇常集十八卷

鄭絪集三十卷

符載集十四卷

郗純集六十卷

戴叔倫述藁十卷

張登集六卷 貞元漳州刺史。

陸迅集十卷 德宗時監察御史裏行。

柳冕集 卷亡。

姚南仲集十卷

李吉甫集二十卷

武元衡集十卷

權德輿　童蒙集十卷　又　集五十卷　制集五十卷

韓愈集四十卷

柳宗元集三十卷

韋貫之集三十卷

李絳集二十卷

令狐楚　漆匲集一百三十卷　又　梁苑文類三卷

表奏集十卷　自稱《白雲孺子表奏集》。

韋武集十五卷

皇甫鎛集十八卷

樊宗師集二百九十一卷

武儒衡集二十五卷　又　制集二十卷

李道古　文興三十卷

董侹　武陵集　卷亡。侹,字庶中,元和荆南從事。

劉禹錫集四十卷

元氏長慶集一百卷　又　小集十卷　元稹。

白氏長慶集七十五卷　白居易。

白行簡集二十卷

張仲方集三十卷

鄭澣集三十卷

馮宿集四十卷

劉伯芻集三十卷

段文昌集三十卷　又　詔誥二十卷

韋處厚集七十卷

劉栖楚集二十卷

李翱集十卷

温造集八十卷

滕珦集　卷亡。珦，東陽人。歷茂王傅，大和初以右庶子致仕，四品給券還鄉自珦始。

王起集一百二十卷

崔咸集二十卷　大和人。

皇甫湜集三卷

舒元輿集一卷

李德裕會昌一品集二十卷　又　姑臧集五卷

窮愁志三卷

雜賦二卷

杜牧　樊川集二十卷

沈亞之集九卷

羅讓集三十卷

王涯集十卷

魏謩集十卷

秣陵子集一卷　來擇，字无擇，寶曆應賢良科。

柳仲郢集二十卷

陳商集十七卷

歐陽袞集二卷　袞，福州閩縣人，歷侍御史。

溫庭筠　握蘭集三卷　又　金筌集十卷　詩集五卷　漢南真稾十卷

陳陶　文録十卷

劉蛻　文泉子十卷　字復愚，咸通中書舍人。

鄭畋　玉堂集五卷　又　鳳池稾草三十卷　續鳳池稾草三十卷

孫樵　經緯集三卷　字可之，大中進士第。

周慎辭　寧蘇集五卷　字若訥，咸通進士第。

皮日休集十卷　又　胥臺集七卷　文藪十卷　詩一卷

陸龜蒙　笠澤叢書三卷　又　詩編十卷　賦六卷

楊夔集五卷　又　冗書十卷　冗餘集一卷

沈栖遠　景臺編十卷　字子鸞，咸通進士第。

鄭誠集　卷亡。字申虞，福州閩縣人，大中國子司業，鄆、安二州刺史，江西節度
副使。

司空圖　一鳴集三十卷

陸扆集七卷

秦韜玉　投知小録三卷　字中明，田令孜神策判官、工部侍郎。

鄭賓集十卷　字貢華。乾符進士第。

袁皓　碧池書三十卷　袁州宜春人，龍紀集賢殿圖書使，自稱碧池處士。

鄭氏貽孫集四卷

養素先生　遺榮集三卷　皆唐末人。

張玄晏集二卷　字寅節，昭宗翰林學士。

齊夔集一卷

黃璞　霧居子十卷

譚正夫集一卷

丘光庭集三卷

張安石　涪江集一卷

張友正　雜編一卷

沈光集五卷　題曰《雲夢子》。

程晏集七卷　字晏然，乾寧進士第。

沈顏聱書十卷

李善夷　江南集十卷

劉綺莊集十卷

王秉集五卷

孫子文纂四十卷　又　孫氏小集三卷　孫郃，字希韓，乾寧進士第。

陳黯集三卷　字希孺，泉州南安人，昭宗時。

羅袞集二卷　字子制，天祐起居郎。

李嶠　雜詠詩十二卷

劉希夷詩集四卷

崔顥詩一卷　汴州人，才俊無行，娶妻不愜即去之者三四，歷司勳員外郎。

綦母潛詩一卷　字孝通，開元中，繇宜壽尉入集賢院待制，還右拾遺終著作郎。

祖詠詩一卷

李頎詩一卷　並開元進士第。

孟浩然詩集三卷　弟洗然。宜城王士源所次皆三卷也。士源別爲七類。

包融詩一卷　潤州延陵人，歷大理司直。二子何、佶齊名，世稱"二包"。何，字幼嗣，大曆起居舍人。融與儲光羲皆延陵人。曲阿有餘杭尉丁仙芝、緱氏主薄蔡隱丘、監察御史蔡希周、渭南尉蔡希寂、處士張彥雄、張潮、校書郎張暈、吏部常選周瑀、長洲尉談戭，句容有忠王府倉曹參軍殷遙、硤石主簿樊光、橫陽主簿沈如筠，江寧有右拾遺孫處玄、處士徐延壽、丹徒有江都主薄馬挺、武進尉申堂構，十八人皆有詩名。殷璠彙次其詩，爲《丹楊集》者。

皇甫冉詩集三卷　字茂政，潤州丹楊人，祕書少監、集賢院脩撰彬姪也。天寶末無錫尉，避難居陽羨，後爲左金吾衛兵曹參軍、左補闕，與弟曾齊名。曾，字孝常，歷侍御史，坐事貶徙舒州司馬，陽翟令。

嚴維詩一卷　字正文，越州人，祕書郎。

張繼詩一卷　字懿孫，襄州人。大曆末，檢校祠部員外郎，分掌財賦於洪州。

李嘉祐詩一卷　別名從一，袁州、台州二刺史。

郎士元詩一卷　字君胄，中山人。寶應元年，選畿縣官，詔試中書，補渭南尉，歷拾遺、郢州刺史。

張南史詩一卷　字季直，幽州人。以試參軍避亂居楊州楊子，再召之，未赴，卒。

暢當詩二卷

鄭常詩一卷

蘇渙詩一卷　渙少喜剽盜，善用白弩，巴蜀商人苦之，號白跖，以比莊蹻。後折節讀書，進士及第。湖南崔瓘辟從事，瓘遇害，渙走交廣，與哥舒晃反，伏誅。

朱灣詩集四卷　李勉永平從事。

吉中孚詩一卷　楚州人，始爲道士，後官校書郎，登宏辭，諫議大夫、翰林學士、戶部侍郎,判度支。貞元初卒。

朱放詩一卷 字長通,襄州人,隱居剡溪。嗣曹王皋鎮江西,辟節度參謀。貞元初召爲拾遺,不就。

劉方平詩一卷 河南人,與元魯山善,不仕。

常建詩一卷 肅、代時人。

麴信陵詩一卷

章八元詩一卷 睦州人,大曆進士第。

秦系詩一卷

陳翊集十卷 字載物,福州閩縣人,貞元户部郎中,知制誥。

錢起詩一卷

李端詩集三卷

韓翃詩集五卷

司空曙詩集二卷

盧綸詩集十卷

耿湋詩集二卷

崔峒詩一卷

韋應物詩集十卷

許經邦詩集一卷 建中右武衛胄曹參軍。

韋梁牟詩集十卷 諫議大夫時集。

劉商詩集十卷 貞元比部郎中。

王建集十卷 大和陝州司馬。

張碧　詞行集二卷 貞元人。

雍裕之詩一卷

楊巨源詩一卷 字景山,大和河中少尹。

孟郊詩集十卷

張籍詩集七卷

李涉詩一卷

李賀集五卷

李紳　追昔遊詩三卷　又　批答一卷

章孝標詩一卷

殷堯藩詩一卷　元和進士第。

李敬方詩一卷　字中虔，大和歙州刺史。

玉川子詩一卷　盧仝。

裴夷直詩一卷

施肩吾詩集十卷

姚合詩集十卷

韓琮詩一卷　字成封，大中湖南觀察使。

李商隱　樊南甲集二十卷　乙集二十卷　玉溪生詩三卷　又
　賦一卷　文一卷

賈島　長江集十卷　又　小集三卷

張祜詩一卷　字承吉，爲處士，大中中卒。

許渾　丁卯集二卷　字用晦，圉師之後，大中睦州、郢州二刺史。

李遠詩集一卷　字求古，大中建州刺吏。

雍陶詩集十卷　字國鈞，大中八年自國子《毛詩》博士出爲簡州刺史。

朱慶詩一卷　名可久，以字行。寶曆進士第。

喻鳧詩一卷　開成進士第，烏程令。

馬戴詩一卷　字虞臣，會昌進士第。

李羣玉詩三卷　後集五卷　字文山，澧州人，裴休觀察湖南，厚延致之，及爲
　相，以詩論薦，授校書郎。

崔櫓　無譏集四卷

郁渾　百篇集一卷　渾常應百篇舉，壽州刺史李紳命百題試之。

姚鵠詩一卷　字居雲，會昌進士第。

項斯詩一卷　字子遷，江東人，會昌丹徒尉。

孟遲詩一卷　字遲之，會昌進士第。

顧非熊詩一卷　況之子，大中盱眙簿，弃官隱茅山。

章碣詩一卷

趙嘏　渭南集三卷　又　編年詩二卷　字承祐，大中渭南尉。

薛逢詩集十卷　又　別紙十三卷　賦集十四卷

于武陵詩一卷

李頻詩一卷

李郢詩一卷　字楚望，大中進士第，侍御史。

曹鄴詩三卷　字鄴之，大中進士第，洋州刺史。

劉滄詩一卷　字蘊靈。

崔玨詩一卷　字夢之，並大中進士第。

劉得仁詩一卷

高蟾詩一卷　乾寧御史中丞。

高駢詩一卷

薛能詩集十卷　又　繁城集一卷

陸希聲　頤山詩一卷

鄭嵎　津陽門詩一卷

于濆詩一卷　字子漪。

許棠詩一卷　字文化。

公乘億詩一卷　字壽山，並咸通進士第。

聶夷中詩二卷　字坦之，咸通華陰尉。

于鄴詩一卷

于鵠詩一卷

鄭谷　雲臺編三卷　又　宜陽集三卷　字守愚，袁州人，爲右拾遺。乾寧中，以都官郎中卒于家。

朱朴詩四卷　又　雜表一卷

玄英先生詩集十卷　方干。

李洞詩一卷

吳融詩集四卷　又　制誥一卷

韓偓詩一卷　又　香匳集一卷

曹唐詩三卷　字堯賓。

周賀詩一卷

劉干詩一卷

崔塗詩一卷　字禮山，光啓進士第。

唐彥謙詩集三卷

張喬詩集二卷

王駕詩集六卷　字大用。

吳仁璧詩一卷　字延實，並大順進士第。

王貞白詩一卷　字有道。

張蠙詩集二卷　字象文。

翁承贊詩一卷　字文堯。

褚載詩三卷　字厚之，並乾寧進士第。

王轂詩集三卷　字虛中，乾寧進士第，郎官致仕。

曹松詩集三卷　字夢徵，天復進士第，校書郎。

羅鄴詩一卷

趙摶歌詩二卷

周朴詩二卷　朴稱處士。

朱景元詩一卷

崔道融　申唐詩三卷

陳光詩一卷

王德興詩一卷

湯緒　潯陽雜題詩三卷

韋靄詩一卷

張爲詩一卷

羅浩源詩一卷

薛瑩　洞庭詩集一卷

謝蟠隱　雜感詩二卷

譚藏用詩一卷

劉言史　歌詩六卷

黃滔集十五卷　字文江，光化四門博士。

鄭良士　白巖集十卷　字君夢。昭宗時獻詩五百篇，授補闕。

嚴鄖詩二卷

劉威詩一卷

鄭雲叟詩集三卷

來鵬詩一卷

陸元皓　詠劉子詩三卷

任翻詩一卷

李山甫詩一卷

道士吳筠集十卷

僧惠磧集八卷　姓李，江陵人。

僧玄範集二十卷

僧法琳集三十卷

僧靈徹詩集十卷　姓湯，字源澄，越州人。

皎然詩集十卷　字清晝，姓謝，湖州人，靈運十世孫，居杼山。顏真卿爲刺史，集文
　　士撰《韻海敬源》，①預其論著。貞元中，集賢御書院取其集以藏之，刺史于頔爲序。

盧獻卿　愍征賦一卷

謝觀賦八卷

盧肇　海潮賦一卷　又　通屈賦一卷　注林絢大統賦二卷　字
　　子發，袁州人。咸通歙州刺史。

高邁賦一卷

皇甫松　大隱賦一卷

---

　　①　“敬”，武英殿本同，中華本作“鏡”。

崔葆　數賦十卷　_{乾寧進士，王克昭注。}

宋言賦一卷　字表文。

陳汀賦一卷　字用濟，並大中進士第。

樂朋龜　綸閣集十卷　又　德門集五卷　賦一卷　字兆吉，僖宗翰林學士，太子少保致仕。

蔣凝賦三卷　字仲山，咸通進士第。

公乘億　賦集十二卷

林嵩賦一卷　字降臣，乾符進士第。

王翃賦一卷　字雄飛，大順進士第。

賈嵩賦三卷

李山甫賦二卷

陸贄　論議表疏集十二卷　又　翰苑集十卷　韋處厚纂。

王仲舒制集十卷

李虞仲制集四卷

封敖翰棄八卷

崔嘏　制誥集十卷　字乾錫，邢州刺史。會劉稹反，歸朝，授考功郎中、中書舍人。李德裕之謫，嘏草制不盡書其過，貶端州刺史。

獨孤霖　玉堂集二十卷

劉崇望　中和制集十卷

李磎制集四卷

錢珝　舟中錄二十卷

薛延珪　鳳閣書詞十卷

郭元振　九諫書一卷

李絳　論事集三卷　蔣偕集。

李磎表疏一卷

張濬表狀一卷

臨淮尺題二卷　武元衡西川從事撰。

李程表狀一卷

劉三復表狀十卷

問遺雜録三卷

趙璘　表狀集一卷

張次宗集六卷

吕述　東平小集三卷

段全緯集二十卷

劉鄴　甘棠集三卷

王虬集十卷　字希龍，泉州南安人。大順初舉進士第。

崔致遠　四六一卷　又　桂苑筆耕二十卷　高麗人，賓貢及第，高駢淮南從事。

顧氏編遺十卷

苕川摠載十卷

纂新文苑十卷

啓事一卷

賦二卷

集遺具録十卷　顧雲，字垂象，池州人。虞部郎中，高駢淮南從事。

鄭準　渚宫集一卷　字不欺，乾寧進士第。

李巨川　四六集二卷　韓建華州從事。

胡曾　安定集十卷

陳蟠隱集五卷

張澤　飲河集十五卷

黄台　江西表狀二卷　鍾傳從事。

太宗　凌煙閣功臣讚一卷

崔融　寶圖贊一卷　王起注。

盧鉦　武成王廟十哲讚一卷

李靖　霸國箴一卷

魏徵　時務策五卷

郭元振　安邦策一卷

劉蕡策一卷

王勃　舟中纂序五卷

才命論一卷　張鷟撰，郗昂注，一作張説撰，潘詢注。

杜元穎　五題一卷

李甘文一卷

南卓文一卷

劉軻文一卷

陸鸞文一卷　字离祥，咸通進士第。

吳武陵書一卷

夏侯韞　大中年與涼州書一卷

駱賓王　百道判集一卷

張文成　龍筋鳳髓十卷

崔鋭判一卷　大曆人。

鄭寬　百道判一卷　元和拔萃。

　　右別集類七百三十六家，七百五十部，七千六百六十八卷。

失姓名一家，玄宗以下不著録四百六家，五千一十二卷。

摯虞　文章流別集三十卷

杜預　善文四十九卷

謝沈　名文集四十卷

孔逭　文苑一百卷

梁昭明太子　文選三十卷　又　古今詩苑英華二十卷

蕭該　文選音十卷

僧道淹　文選音義十卷

小辭林五十三卷

集古今帝王正位文章九十卷

蕭圓　文海集三十六卷

康明貞　辭苑麗則二十卷

庾自直　類文三百七十七卷

宋明帝　賦集四十卷

皇帝瑞應頌集十卷

五都賦五卷

卞鑠　獻賦集十卷

司馬相如　上林賦一卷

曹大家　注班固幽通賦一卷

項岱　注幽通賦一卷

張衡　二京賦二卷

薛綜　二京賦音二卷

三都賦三卷

左太沖　齊都賦一卷

李軌　齊都賦音一卷

褚令之　百賦音一卷

郭微之　賦音二卷

綦母邃　三京賦音一卷

木連理頌二卷

李暠　靖恭堂頌一卷

諸郡碑一百六十六卷

雜碑文集二十卷

殷仲堪　雜論九十五卷

劉楷　設論集三卷

謝靈運　設論集五卷　又　連珠集五卷

梁武帝　制旨連珠四卷

陸緬　注制旨連珠十一卷

謝莊　讚集五卷

張湛　古今箴銘集十三卷

衆賢誡集十五卷

雜誡箴二十四卷

李德林　霸朝雜集五卷

王履　書集八十卷

夏赤松　書林六卷

山濤　啓事十卷

梁中書表集二百五十卷

薦文集七卷

宋元嘉策五卷　又　元嘉宴會游山詩集五卷

宋伯宜策集六卷

卞氏　七林集十二卷

顏之推　七悟集一卷

袁淑　俳諧文十五卷

顏峻　婦人詩集二卷

殷淳　婦人集三十卷

江遽　文釋十卷

干寶　百志詩集五卷

崔光　百國詩集二十九卷

應璩　百一詩八卷

李爽　百一詩集二卷

晉元正宴會詩集四卷　伏滔、袁豹、謝靈運集。

顏延之　元嘉西池宴會詩集三卷

清溪集三十卷　齊武帝勅撰。

齊釋奠會詩集二十卷

徐伯陽　文會詩集四卷

文林詩府六卷　北齊後主作。

蕭淑　西府新文十卷　新文要集十卷

宋明帝　詩集新撰三十卷　詩集二十卷

謝靈運詩集五十卷　又　詩集鈔十卷　詩英十卷　回文詩集
　一卷　七集十卷

劉和詩集二十卷

顏竣詩集一百卷

許凌　六代詩集鈔四卷

詩林英選十一卷

虞綽等　類集一百一十三卷

詩纘十二卷

詩録二十卷

文苑詞英八卷

徐陵　六代詩集鈔四卷　又　玉臺新詠十卷

謝混　集苑六十卷

宋臨川王義慶　集林二百卷

丘遲　集鈔四十卷

李善　注文選六十卷

公孫羅　注文選六十卷　又　音義十卷

劉允濟　金門待詔集十卷

文館辭林一千卷　許敬宗、劉伯莊等撰。

麗正文苑二十卷

芳林要覽三百卷　許敬宗、顧胤、許圉師、上官儀、楊思儉、孟利貞、姚璹、竇德玄、
　郭瑜、董思恭、元思敬集。

僧惠浄　續古今詩苑英華集二十卷

劉孝孫　古今類聚詩苑三十卷

郭瑜　古今詩類聚七十九卷　　歌録集八卷

李淳風　注顏之推稽聖賦一卷

張庭芳　注庾信哀江南賦一卷

崔令欽　注一卷

竇嚴　東漢文類三十卷

李善　文選辨惑十卷

五臣注文選三十卷　衢州常山尉吕延濟、都水使者劉承祖男良、處士張銑、吕向、李周翰注，開元六年，工部侍郎吕延祚上之。

曹憲　文選音義　卷亡。

康國安　注駮文選異義二十卷

許淹　文選音十卷

孟利貞　續文選十三卷

崔玄暐　訓注文館詞林策二十卷

康顯　辭苑麗則三十卷　又　海藏連珠三十卷　希銑之兄，脩書學士。

卜長福　續文選三十卷　開元十七年上，授富陽尉。

卜隱之　擬文選三十卷　開元處士。

朝英集三卷　開元中張孝嵩出塞，張九齡、韓休、崔沔、王翰、胡皓、賀知章所撰送行歌詩。

張楚金　翰苑三十卷

王方慶　王氏神道銘二十卷

徐堅　文府二十卷　開元中，詔張説説括《文選》外文章，乃命堅與賀知章、趙冬曦分討，會詔促之，堅乃先集詩賦二韻爲《文府》上之。餘不能就而罷。

裴潾　大和通選三十卷

李康　玉臺後集十卷

元思敬　詩人秀句二卷

孫季良　正聲集三卷

珠英學士集五卷　崔融集武后時脩《三教珠英》學士李嶠、張説等詩。

搜玉集十卷

曹恩　起予集五卷　_{大歷人。}

元結　篋中集一卷　奇章集四卷

劉明素　麗文集五卷　_{興元中集。}

李吉甫　古今文集略二十卷　又　國朝哀策文四卷

梁大同古銘記一卷

麗則集五卷

類表五十卷　_{亦名《表啓集》。}

柳宗直　西漢文類四十卷

柳玄　同題集十卷

竇常　南薰集三卷

殷璠　丹楊集一卷　又　河岳英靈集二卷

王起　文場秀句一卷

姚合　極玄集一卷

高仲武　中興間氣集二卷

李戡　唐詩三卷

顧陶　唐詩類選二十卷　_{大中校書郎。}

劉餗　樂府古題解一卷

李氏花萼集二十卷　_{李乂、尚一、尚貞。}

韋氏兄弟集二十卷　_{韋會、弟弼。}

竇氏聯珠集五卷　_{竇羣、常、牟、庠、鞏。}

集賢院壁記詩二卷

翰林歌詞一卷

大歷年浙東聯唱集二卷

斷金集一卷　_{李逢吉、令狐楚唱和。}

元白繼和集一卷　_{元稹、白居易。}

三州唱和集一卷　_{元稹、白居易、崔玄亮。}

劉白唱和集三卷　劉禹錫、白居易。

汝洛集一卷　裴度、劉禹錫唱和。

洛中集七卷

彭陽唱和集三卷　令狐楚、劉禹錫。

吳蜀集一卷　劉禹錫、李德裕唱和。

裴均　壽陽唱詠集十卷　又　渚宮唱和集二十卷

峴山唱詠集八卷

荆譚唱和集一卷

盛山唱和集一卷

荆夔唱和集一卷

僧廣宣與令狐楚唱和一卷

名公唱和集二十二卷

漢上題襟集十卷　段成式、温庭筠、余知古。

袁皓　集道林寺詩二卷

松陵集十卷　皮日休、陸龜蒙唱和。

廖氏家集一卷　廖光圖，唐末人。

盧瓖　杼情集二卷

孟啓　本事詩一卷

劉松　宜陽集六卷　松，字稽美，袁州人。集其州天寶以後詩四百七十篇。

蔡省風　瑤池池新詠二卷　集婦人詩。

僧靈徹　誀唱集十卷　大曆至元和中名人。

吳兢　唐名臣奏十卷

馬揔　奏議集三十卷

臧嘉猷　羽書三卷　處士。

沈常　揔戎集三十卷

唐稟　貞觀新書三十卷　稟，袁州萍鄉人，集貞觀以前文章。

黃滔　泉山秀句集三十卷　編閩人詩，自武德盡天祐末。

周仁瞻　古今類聚策苑十四卷

五子策林十卷　集許南容而下五人策問。

元和制策三卷　元稹、獨孤郁、白居易。

李太華　掌記略十五卷　新掌記略九卷

林逢　續掌記略十卷

　　凡文史類四家,四部,十八卷。　劉子玄以下不著録二十二家,二十三部,一百七十九卷。

李充　翰林論三卷

劉勰　文心雕龍十卷

顏竣　詩例録二卷

鍾嶸　詩評三卷

劉子玄　史通二十卷

柳氏釋史十卷　柳璨。一作《史通析微》。

劉餗　史例三卷

沂公史例十卷　田弘正客撰。

裴傑　史漢異義三卷　河南人,開元十七年上,授臨濮尉。

李嗣真　詩品一卷

元兢　宋約詩格一卷

王昌齡　詩格二卷

晝公　詩式五卷

詩評三卷　僧皎然。

王起　大中新行詩格一卷

姚合　詩例一卷

賈島　詩格一卷

炙轂子　詩格一卷

元兢　古今詩人秀句二卷

李洞　集賈島句圖一卷

張仲素　賦樞三卷

范傳正　賦訣一卷

浩虛舟　賦門一卷

倪宥　文章龜鑑一卷

劉蕡　應求類二卷

孫郃　文格二卷

　　右總集類七十五家，九十九部，四千二百二十三卷。　李淳風

以下不著錄七十八家，八百一十三卷。**摠七十九家，一百七部。**

二十五史藝文經籍志考補萃編總目